Ce livre a...

Offert par :..........
....
le..........

Alain Royer
Emmanuel Baudry

Les Invisibles

Chasse
aux surdoués

Illustrations de Mérel

Hachette

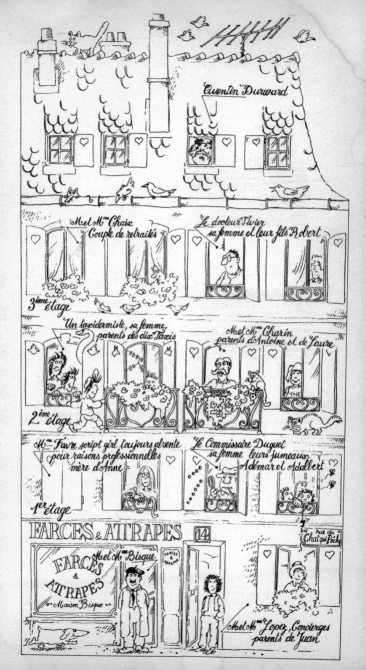

Chapitre 1

Où M. Fureteux est parti en vacances avec une belle Yltiogienne, où les deux bandes constatent qu'une curieuse famille s'est installée dans leur immeuble et où elles décident de réagir

«14 250... record battu!» s'écria Juan très content de lui.

Tandis qu'il manipulait avec une ahurissante habileté un jeu électronique miniature, Antoine et Anne, les deux autres membres de la bande baptisée les Abribus, terminaient une partie de Monopoly.

«Il est drôlement veinard, le prof de sciences nat», dit Juan en posant son jeu sur la table et en ébouriffant ses cheveux noirs frisés.

Antoine, très calme, jouait avec la visière de sa casquette. Il hocha la tête et approuva :

«Ouais... partir en vacances avec une femme comme l'Yltiogienne, quel rêve....

— Tu parles, insista Juan. Avec une fille pareille, je ferais le tour du monde en patins à roulettes. Enfin, il nous reste l'Yltiogien...»

Les deux garçons parlaient d'un couple d'extra-terrestres dont l'existence n'était connue que de quelques enfants[1]. Venus d'Yltiog, une planète lointaine, ces deux savants séjournaient parfois sur Terre pour des missions d'ordre scientifique. Or l'Yltiogienne éprouvait une brûlante passion pour M. Fureteux, professeur de sciences naturelles au collège voisin et inventeur d'un produit dont il suffisait d'avaler quelques gouttes pour devenir invisible.

Antoine dévisagea son ami avec un sourire ironique et le taquina :

«Elle était encore plus chouette que lors de son dernier voyage, hein?»

Pour passer inaperçus au milieu des Terriens, les deux Yltiogiens avaient le pouvoir de prendre la tête de n'importe quel habitant de notre planète. L'Yltiogien avait coutume de se composer l'apparence de M. Fureteux et sa collègue prenait les

---

1. Lire *Un Mariage explosif*, dans la même collection.

traits d'Estelle Glamour, actrice célèbre pour sa beauté.

«Inutile de rêver, messieurs, ironisa Anne, une grande fille à lunettes. Faudra vous contenter des Terriennes... enfin, plus tard.

— Hé là! grogna Juan. On a treize ans!»

Antoine, lui, ne broncha pas. Anne venait de le mettre en faillite. Il poussa un gros soupir, prédit à son amie un avenir grandiose dans l'immobilier puis conclut :

«Bon, il est l'heure d'aller voir Quentin.»

Lorsqu'il les vit sur le point de quitter l'appartement de sa maîtresse, Arsène, le chimpanzé d'Anne, se mit à pousser des cris déchirants. Les trois Abribus tentèrent de le consoler mais le singe se pelotonna en boudant sur le canapé du salon puis les bombarda de bananes lorsqu'ils gagnèrent la porte.

Quentin Durward, fantôme de son état, hantait depuis cinq siècles le 14 de la rue du Chat-qui-Pêche. Il y était mort après des années passées au service de son roi, Louis XI, en tant qu'archer de la garde écossaise[1].

---

1. Pour plus de détails sur la vie de Quentin, lire le *Qentin Durward* de Walter Scott.

Les trois Abribus grimpèrent dans les combles de leur immeuble et y furent accueillis par un fantôme à barbe rousse qui, quoique translucide, était d'une taille et d'une corpulence fort imposantes. Le colosse bavardait avec un petit homme au visage de belette rêveuse, le double yltiogien de M. Fureteux.

Les enfants saluèrent le fantôme et son hôte, puis Anne se tourna vers l'extra-terrestre :

«Quel est l'objet de votre mission?

— Bof, répondit l'Yltiogien en jouant avec son nœud papillon. Quelques observations sur le comportement bizarre des Terriens. En fait, je suis surtout venu prendre la place de M. Fureteux pour permettre à ma vieille amie d'aller vivre un amour fou avec votre professeur. Que voulez-vous, elle s'est toquée de lui et...»

Il fut interrompu par l'irruption de dix frères et sœurs vêtus du même uniforme, jean et pull marin bleu marine : les Taxis. Cette bande, très familiale et grande rivale des Abribus, devait son surnom à la profession du père des dix enfants, taxidermiste au Muséum d'histoire naturelle.

«Manquait plus qu'eux! soupira Juan en levant les yeux au ciel.

— Toi, fesse d'huître, on t'a pas sonné! lança un des Taxis très vexé.

— Tu veux que je t'arrange ta sale face de crabe ?» vociféra Juan.

Les deux garçons, sentant la forte

poigne de Quentin sur leur épaule, ces-
sèrent aussitôt de se disputer. C'est alors
que deux enfants, qui avaient probablement suivi les Taxis, pénétrèrent en
trombe dans les combles. Quentin n'eut
que le temps de devenir totalement invisible. En effet, il ne daignait se montrer
qu'aux Taxis et aux Abribus.

«Tiens, tiens... s'écria d'une voix acide
un garçon à tête de lune. Une réunion
clandestine! Tu as vu ça, Charlotte?

— Oui, oui, Alphonse, répondit une fille
de son âge qui lui ressemblait fort mais
en plus gros. Avez-vous une autorisation
écrite du propriétaire?»

Les Abribus échangèrent des regards
exaspérés. Les petits Dupont leur tapaient
sur les nerfs. Quelle idée aussi avaient eue
M. et Mme Chaix, partis voir leur fils en
Australie, de sous-louer leur appartement
à une famille aussi détestable!

Les Taxis, après avoir sympathisé avec
les nouveaux venus dans l'immeuble, commençaient, eux aussi, à les trouver insup-
portables.

«Si vous nous dites ce que vous complo-
tez, je vous promets que vous n'aurez pas
d'ennuis! s'exclama Alphonse Dupont.

— Tes promesses, tu peux te les garder
et les ennuis c'est toi qui vas les avoir, si tu

restes ici plus longtemps, s'écria Juan.

— Des menaces! Si vous saviez à qui vous avez affaire, vous ne le prendriez pas de si haut, déclara Charlotte sur un ton méprisant.

— Et vous, monsieur Fureteux, que faites-vous ici? Vous leur donnez des cours particuliers de physique nucléaire?» demanda Alphonse.

Devant l'incongruité de cette question l'Yltiogien ne put s'empêcher d'éclater de rire. Quentin en profita pour murmurer à Antoine et à l'aîné des Taxis:

«J'en ai assez d'être envahi par ces deux mouflets. Chassez-les le plus vite possible. Je ne veux plus les voir!»

Les Taxis et les Abribus s'avancèrent lentement mais avec détermination vers les petits Dupont qui battirent en retraite. Au moment de sortir, Alphonse menaça:

«Vous le regretterez! Je vous assure que vous le regretterez!»

«Je suis sûr qu'ils sont envoyés par leur père pour nous espionner! maugréa Antoine après le départ des gêneurs.

— Tu crois qu'ils s'intéressent au produit? hasarda un des Taxis.

— Je ne sais pas, répondit Antoine. Mais, depuis leur arrivée, les parents et les enfants Dupont surveillent tous nos faits et gestes. Comme s'ils cherchaient à découvrir quelque chose. »

Les Abribus et les Taxis étaient les seuls au monde à posséder encore un peu du produit à rendre invisible. M. Fureteux n'en avait jamais retrouvé la formule malgré les moyens mis à sa disposition par le gouvernement. En effet les pouvoirs publics auraient beaucoup aimé utiliser cette découverte à des fins militaires. Quelques pays étrangers avaient d'ailleurs manifesté eux aussi un intérêt certain par l'intermédiaire de leurs services d'espionnage[1].

« J'aimerais savoir une fois pour toutes qui sont réellement ces Dupont, déclara Anne, le front barré d'une ride soucieuse. Presque à chaque fois que je sors de chez moi, comme par hasard l'un d'entre eux me suit.

— Je vous laisse débattre de cette désagréable question, dit tout à coup l'Yltiogien. Etant donné que j'ai pris la tête et la place de M. Fureteux, je vais aller m'installer dans son appartement. Si vous avez besoin de moi ou de la technologie yltiogienne, ajouta-t-il avec un sourire, vous savez où me joindre. De toute façon, à demain au collège... »

---

1. Lire *La Kermesse aux Espions,* dans la même collection.

Et l'extra-terrestre quitta les combles. «J'ai, moi aussi, remarqué que ces Dupont, aussi bien les parents que les enfants, étaient d'une curiosité maladive, dit alors Quentin. Et je commence à en avoir assez d'être envahi en permanence. Je crois que je vais leur rendre la politesse, faire un petit tour chez eux pour voir ce qu'ils mijotent et essayer de comprendre ce qui les intéresse tant dans cet immeuble. En tant que fantôme la visite de leur appartement ne me pose aucun problème.

— Votre idée est excellente, mais vous n'allez pas y aller tout seul!» s'écria Antoine.

Après tout, Quentin n'étant pas le seul à être importuné par les Dupont, il n'y avait aucune raison qu'il entreprenne seul son enquête. Le fantôme accepta et expliqua qu'il ouvrirait la porte de l'appartement des Dupont de l'intérieur. Antoine et l'une des Taxis burent quelques gouttes du produit de M. Fureteux. Désormais invisibles, ils descendirent un étage avec Quentin.

«Et hop!» l'entendirent-ils chuchoter comme en riant.

Les Invisibles devinèrent que le fantôme traversait la muraille. Puis, ils ne tardèrent pas à entendre un léger bruit de serrure et la porte des Dupont s'ouvrit. Si Antoine et la Taxi ne pouvaient voir Quentin, eux, par contre, continuaient à s'apercevoir. Cette particularité du produit, qui permettait aux Invisibles de ne pas se perdre de vue, était fort utile. Un seul inconvénient : on ne savait pas très bien à quel moment le produit cessait de faire de l'effet. Aussi fallait-il vérifier de temps à autre dans un miroir de poche si on s'y reflétait ou non.

Un bruit de voix dans le salon attira l'attention de Quentin et de ses amis. La porte à deux battants ouverte sur le couloir permettait de voir M. et Mme Dupont et leurs enfants en grande discussion avec un inconnu.

L'inconnu écoutait avec une extrême attention ce que lui racontaient Alphonse et Charlotte sur les deux bandes. C'était un homme lourd, au visage carré et aux yeux très mobiles sous d'épais sourcils noirs.

«S'ils se méfient, c'est ennuyeux, dit-il. Il va falloir passer vite à la deuxième phase de notre plan. Mon pays veut à tout prix percer le mystère de ce quartier. Nous sommes convaincus que ce produit à rendre invisible n'est que l'arbre qui cache la forêt. Un stratagème pour détourner l'attention des vrais problèmes...

— Pourtant, vous savez... commença M. Dupont dont le visage fut subitement agité de tics nerveux.

— Nous savons ce que nous disons, coupa l'inconnu. Ce produit n'est qu'un rideau de fumée pour dissimuler la vérité. Le gouvernement français a installé un laboratoire de recherche pour produire des enfants surdoués...» Antoine et la Taxi faillirent lâcher un

«Oh!» de stupeur qui aurait immanquablement révélé leur présence.

«Et que proposez-vous? demanda Mme Dupont, une grande femme maigre à la voix douce.

— Nous allons enlever un de ces enfants pour découvrir le traitement auquel ils sont soumis. Charlotte et Alphonse n'ont qu'à s'arranger pour savoir lequel est le plus surdoué de l'immeuble. Nos services ont en effet établi avec certitude que l'élite des surdoués a été réunie ici.»

Antoine et la Taxi échangèrent un regard ahuri :

«Des espions...» murmura la Taxi.

Antoine hocha la tête.

«Qu'est-ce que vous leur ferez? demanda Charlotte.

— Pas de mal, ne vous inquiétez pas», répondit l'espion avec un gros rire qui se voulait bonhomme.

Antoine et la Taxi étaient tout pâles. Ils sentirent que Quentin les poussait en direction du couloir.

Chapitre 2

*Où la filature commence,
où les deux bandes
décident de monter
une opération
d'intoxication et où
les petits Dupont sont
moins malins qu'ils
ne le croient.*

«Ça alors! murmura la Taxi médusée.

— C'est dingue, cette histoire de surdoués! chuchota Antoine. Il faut avoir la
cervelle ramollie pour inventer des trucs
pareils.

— Dingue ou pas, il faut ouvrir l'œil,
souffla Quentin. Nous allons suivre cet
inconnu et tâcher d'en apprendre un peu
plus sur son compte.

— Il travaille pour qui, à votre avis?»
murmura Antoine.

En admettant qu'il connût la réponse,
Quentin n'eut pas le temps de la don-
ner. L'inconnu quittait le salon. M. Dupont
échangea quelques banalités avec lui sur le
palier, ce qui permit aux Invisibles de se
faufiler hors de l'appartement.

Le soir tombait lorsque l'espion sortit dans la rue. La silhouette massive se dirigea vers la station de métro la plus proche. L'homme se retourna plusieurs fois, comme pour vérifier qu'il n'était pas suivi, puis il s'engouffra dans la station en se mettant à courir à toute vitesse.

Quentin et les deux Invisibles eurent toutes les peines du monde à le suivre. Ils bousculèrent un énorme monsieur que frôlait au même instant une frêle vieille dame. L'obèse tomba sur son derrière et resta muet de stupeur tandis que la vieille dame, pas étonnée du tout, se confondait en excuses de l'avoir «fait chuter»...

Les Invisibles montèrent dans le même wagon que l'espion, par la porte voisine. Une dame transportait un minuscule chien dans un sac, une curieuse bête à tête de rat qui, intriguée sans doute par l'odeur de la petite fille qu'elle ne voyait pas, se mit à aboyer en tendant un museau agressif en direction de la Taxi. Cette dernière lui ferma la gueule d'une main énergique. La bête fut aussitôt prise d'étranges convulsions et sa maîtresse affolée demanda s'il n'y avait pas un vétérinaire dans les parages.

Distraits par l'incident, les deux Invisibles faillirent laisser filer l'espion qui descendit au tout dernier moment alors que les portes se fermaient. Il fallut toute la force herculéenne de Quentin pour retenir une des portes et leur permettre de se glisser sur le quai.

L'espion, qui pensait avoir semé d'éventuels poursuivants, marchait d'un pas tranquille. Néanmoins, au détour d'un couloir, il se plaqua contre un mur et attendit.

Quentin retint les deux Invisibles et les empêcha d'avancer.

L'espion attendit quelques instants, tendit l'oreille, puis reprit sa marche. Quentin lui laissa prendre quelques mètres d'avance et chuchota :

« Attention ! Vous êtes invisibles mais vous risquez de faire du bruit en marchant... »

La Taxi et Antoine se le tinrent pour dit et avancèrent sur la pointe des pieds.

L'espion sortit du métro et monta une rue en pente avant d'entrer dans un immeuble de trois étages. Au moment où Antoine et la Taxi s'apprêtaient à y pénétrer à leur tour, un cri de terreur les cloua sur place.

Ils se retournèrent.

Une jeune femme les regardait, les yeux écarquillés, une main sur sa poitrine et l'autre tendue dans leur direction. Ils comprirent aussitôt que le produit avait cessé d'agir. La crainte que l'espion ne fasse demi-tour pour voir ce qui s'était passé dans la rue les cloua sur place.

Quentin se précipita à l'intérieur de l'immeuble. Mais non, l'espion continuait à monter l'escalier. Le fantôme le rejoignit au moment où l'homme entrait dans un appartement situé au troisième étage. Quentin lut sur une plaque :

«*Marcel Léonce, professeur de violoncelle.* »

«Sûrement un faux nom, songea Quentin. Quant au violoncelle, c'est une couverture. »

Lorsque le fantôme rejoignit ses deux amis sur le trottoir, il les trouva accroupis à côté de la jeune femme allongée inanimée.

«Elle vient de s'évanouir subitement», expliquait Antoine à quelques passants qui s'étaient attroupés.

La jeune femme ouvrit un œil, aperçut la Taxi et Antoine, poussa un cri et s'évanouit de nouveau. Alors, les passants se mirent à dévisager les deux enfants qui préférèrent déguerpir avant qu'on ne leur pose des questions embarrassantes.

Une fois dans le métro, Quentin les mit rapidement au courant de ce qu'il avait vu.

Quentin, Antoine et la Taxi furent

accueillis dans les combles avec un vif soulagement.

«On vous croyait disparus, avalés, tran-
chés menu... s'écria Juan. On se deman-
dait même s'il ne valait pas mieux prévenir
notre cher commissaire Duguet et ses deux
charmants enfants...» ajouta-t-il narquois.

Le commissaire, qui habitait l'immeuble,
était en effet père de deux jumeaux, Adémar et Adalbert, unanimement détestés
par les deux bandes.

Quentin avala une grande gorgée de
whisky, jaugea ce qui restait dans la bouteille, puis la vida d'un trait avant de
tout raconter.

«Chic alors! s'écria un des Taxis après
le récit du fantôme. Ça va barder!

— J'aimerais bien être enlevée, estima la
toute petite Taxi.
A condition que ce soit
avec mon ours.

— Pour
enlever un
Taxi, il
faudrait qu'ils
cherchent
des sous-
doués!»
ironisa
Juan.

Ce qui lui valut une bourrade un peu vive de l'aîné des insultés. Juan roula à terre. Il se redressait déjà, prêt à la bagarre, lorsque Quentin l'intercepta. Saisissant en même temps le Taxi de l'autre main, il fourra un garçon sous chacun de ses bras et, comme si de rien n'était, continua à faire le point des événements.

Se sentant éminemment ridicules, Juan et le Taxi promirent de se tenir tranquilles. Aussi retrouvèrent-ils une position plus conforme à leur dignité sans pour autant cesser de se fusiller du regard.

« Avez-vous une idée du pays qui peut être derrière tout ça ? demanda Anne.

— Non, avoua Antoine. Ce pseudo-Marcel Léonce m'a l'air d'une brute épaisse, mais ce genre de bonhomme existe dans les services secrets du monde entier.

— Inutile de philosopher sur son origine, nous verrons bien, déclara Quentin. Cette histoire m'inquiète et je vous signale, mes mignons, que nous voilà mêlés à une affaire grave ! Moi qui, au cours de ma vie de soldat et ensuite en tant que fantôme, ai eu l'occasion de rencontrer pas mal d'individus louches, je vous garantis que vous n'avez pas affaire à des enfants de chœur...

— Qu'est-ce qui a pu leur faire croire que cet immeuble regroupait des surdoués? demanda Anne. C'est une idée stupide. Ces espions sont peut-être des amateurs qui ne connaissent pas le métier.

— Pour obtenir de temps en temps un bon résultat, les services d'espionnage doivent souvent élaborer des hypothèses qui se révèlent fausses. Ce n'est pas ça qui les empêche d'être dangereux, expliqua Quentin.

— Plus l'ennemi est coriace, plus la victoire est grande! klaxonna un des Taxis en imitant le cri de Tarzan.

— Il faut les mener en bateau! déclara Anne.

— Alors en bateau-mouche, lança une Taxi. J'y suis jamais montée et j'en rêve.

— Il faut prendre des mesures de sécurité immédiates, ce n'est pas le moment de plaisanter, insista Quentin.

— Et si on leur fournissait un faux surdoué pour les amener à se découvrir? proposa Juan.

— Toi, par exemple!» plaisanta Anne qui ajouta aussitôt, devant la mine déconfite de son camarade : «Je plaisantais, ton idée est excellente et je devine à qui tu penses : le plus ahuri, le plus dingue, le plus toqué de l'immeuble, j'ai nommé :

— Robert!» s'écrièrent douze gosiers unanimes.

Tout le monde applaudit. Robert, le fils du docteur Tivier, inventait des histoires à dormir debout et les racontait à qui voulait les entendre avec un sérieux ahurissant.

«Ce n'est pas une mauvaise idée. En entrant dans leur jeu, nous les forcerons à se démasquer», approuva Quentin qui venait d'ouvrir une nouvelle bouteille.

A boire comme il buvait, n'importe quel humain serait mort de cirrhose en six mois.

«Comment va-t-on leur refiler Robert? demanda un des Taxis.

— Vous étiez plus ou moins amis avec les Dupont, au moment de leur arrivée, insinua Anne.

— Et alors... répondit le Taxi avec agacement. Nous n'allons tout de même pas leur dire : "Nous savons ce qui vous intéresse. Le plus surdoué de nous tous est Robert." Le mieux est que deux d'entre nous parlent à voix très haute à proximité des petits Dupont.

— Et s'ils assassinent Robert? s'inquiéta la plus tendre des Taxis.

— Ne vous inquiétez pas, je vous aiderai, promit Quentin. Et, corne de bouc, ces espions n'ont qu'à bien se tenir, sinon...

— Je les tranche menu!» complétèrent les enfants en chœur.

Un peu rassurées, les deux bandes regagnèrent les tables familiales où elles essuyèrent quelques remarques acerbes, car l'heure du dîner était largement dépassée.

Anne, dont la mère tournait un film au Zambèze, rentra dîner seule avec Arsène. Lassé de l'attendre, le singe s'était endormi sur le canapé du salon, la tête appuyée sur son régime de bananes. Sa maîtresse l'éveilla avec délicatesse et lui confectionna un plantureux repas.

A peu près à la même heure, dans un luxueux appartement de l'île Saint-Louis, un homme enfilait une robe de chambre en soie prune. Puis il se versa un cognac, l'allongea d'eau et s'assit dans un fauteuil de cuir vert bronze. Par la haute fenêtre, il regarda quelques instants couler la Seine.

Il paraissait perdu dans ses pensées et le bruit étouffé d'une sonnette ne l'arracha pas à sa rêverie.

Quelques secondes plus tard une très vieille domestique entrouvrit la porte et annonça :

« M. Garneman vient d'arriver.

— Faites entrer et allez vous coucher, ma bonne Jeanne. Je n'ai plus besoin de rien », expliqua Gaspard Naicreu, chef des services de contre-espionnage français.

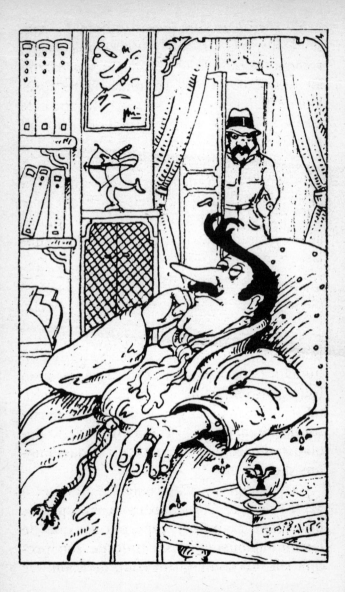

Maurice Garneman, son adjoint, entra, se débarrassa de son imperméable fripé, ralluma sa pipe et attendit que son patron ait fini d'allumer un coûteux cigare après l'avoir fait craquer à son oreille entre le pouce et l'index. Puis il commença son rapport :

« Nos informateurs nous ont indiqué que ça s'agite beaucoup du côté des nouveaux arrivants de la rue du Chat-qui-Pêche.

— Ce quartier a toujours été plutôt agité, plaisanta Gaspard Naicreu. Mais nos lascars ne sont toujours pas sortis de leur réserve ? Toujours pas le moindre faux pas ?

— Pas le moindre, hélas !...

— Ils finiront bien par commettre une bêtise », déclara Gaspard Naicreu en humant le parfum délicat qui émanait d'un foulard probablement oublié par une visiteuse. « Ça m'arrangerait d'ailleurs. Je me suis laissé dire que le Président de la République se débarrasserait bien de quelques-uns d'entre eux.

— Je suppose qu'ils veulent s'attaquer à M. Fureteux. C'est sûrement lui qui les intéresse. Peut-être espèrent-ils que le savant retrouvera la formule de son produit s'ils lui donnent un coup de main. De

29

toute façon, ils vont bien finir par se manifester. Nous les laissons agir et...

— Crac! Nous leur tombons sur le paletot! Bravo, Garneman, vous avez un brillant avenir devant vous!»

Le complimenté fit grise mine. Il souffrait beaucoup de l'ironie de son supérieur.

«Bonne nuit, Garneman», dit Gaspard Naicreu.

L'adjoint du chef du contre-espionnage français se sentit congédié.

Attendrait-il une autre visite?» se demanda-t-il en sortant.

Il ne put résister à l'envie de se cacher derrière un arbre. Son attente dura à peine dix minutes. Une Ferrari rouge se gara. Une femme, qu'il reconnut tout de suite, en sortit. Elle leva les yeux vers les fenêtres de Gaspard Naicreu en verrouillant sa portière, puis s'engouffra sous le porche. Il s'agissait de la fameuse actrice Estelle Glamour.

«Je sais à qui appartient le foulard», pensa Garneman en rentrant chez lui.

Il était triste mais ébloui. Estelle Glamour était son actrice préférée.

Le lendemain, lors de la récréation de l'après-midi, les Taxis, sous la surveillance attentive des Abribus, entamèrent leur opération d'intoxication.

Les deux plus rusés des dix frères et sœurs se mirent à parler à très haute voix, non loin des petits Dupont.

«Sacré Robert! s'écria le Taxi. Il nous a encore tous enfoncés. Il a appris un livre de deux cents pages hier soir avant de s'endormir et il était capable ce matin de réciter le texte de n'importe quelle page dont on lui donnait le chiffre au hasard.

— Oui, soupira la Taxi. Et tu as vu qu'il a aussi gagné le concours de calcul mental avec 124 résultats justes sur 125 multiplications à douze chiffres.

— Hélas, c'est toujours la même chose, se lamenta le Taxi en pleurnichant comme un jeune crocodile. C'est lui qui va être sélectionné. Il n'y a plus le moindre doute. C'est de très loin le plus fort de nous tous.

— Dommage. J'aurais bien aimé être la première enfant à diriger un laboratoire de physique nucléaire. Peut-être qu'on sera sélectionnés l'an prochain.

— Tu parles... Il y aura une autre génération de surdoués!»

Le frère et la sœur virent du coin de l'œil les deux Dupont qui s'éclipsaient, la bouche fendue jusqu'aux oreilles. Aussitôt, les deux Taxis rejoignirent leurs frères et sœurs et les Abribus pour faire le point. De toute évidence Alphonse et Charlotte venaient de tomber dans le piège la tête la première.

« Les autres seront-ils aussi crétins qu'eux ? s'interrogea Antoine.

— On verra bien, dit Anne. En général, les gens aiment trouver ce qu'ils cherchent. Dès que nous serons rentrés, deux d'entre nous prendront du produit et iront écouter ce que ça donne.

— Vous avez vu la tête des Dupont ? demanda un des Taxis. Ils écoutaient si fort qu'on aurait dit que leurs oreilles allaient se détacher de leur crâne pour mieux entendre... »

Chapitre 3

Où les adultes sont aussi bêtes que les enfants, où les jumeaux s'en mêlent et où Robert joue un rôle digne de lui.

A peine rentrées du collège, les deux bandes se précipitèrent dans les combles et mirent Quentin au courant.

«Corne de bouc! s'écria le fantôme, vous avez bien manœuvré, les petits. Feu mon bon roi Louis, qui appréciait fort les intrigues, vous aurait chaudement félicités. Je me rappelle...

— Nous écouterons vos souvenirs une prochaine fois, coupa Anne. Le temps presse et nous avons besoin de votre aide pour nous introduire chez les Dupont.»

Anne avala du produit en compagnie d'un Taxi. Les deux enfants disparurent instantanément.

Quentin passa de nouveau à travers les

murs pour ouvrir la porte d'entrée aux Invisibles.

Mais cette fois, les choses manquèrent mal tourner. Le chat des Dupont devina la présence d'êtres étranges et se mit à cracher, souffler, faire le gros dos et hérisser le poil. Campé en travers du couloir, il semblait décidé à barrer la route à ces envahisseurs invisibles.

«Que faire? souffla Anne à Quentin. Les Dupont sont au courant de l'existence du produit. Ils risquent de faire le lien entre le comportement de leur chat et...

— Je m'en occupe!» murmura Quentin.

Tout à coup le chat parut s'élever dans les airs, tétanisé de terreur. La porte sembla s'ouvrir toute seule et l'animal alla atterrir à l'autre bout du palier tandis que la porte se refermait.

«Ouf!» souffla le Taxi.

L'alerte avait été chaude. En effet, la porte d'entrée venait juste de se refermer, qu'Alphonse Dupont sortit de sa chambre en chantonnant :

«Minou, mon Minou, où es-tu?»

Le matou ne montra pas le bout de son nez. Et pour cause! Le garçon le chercha dans tout l'appartement, bientôt aidé de sa sœur. Puis leur mère se mit de la partie. Anne et le Taxi durent se déplacer en se contorsionnant pour éviter que quelqu'un les heurte au passage, ce qui aurait immanquablement révélé leur présence.

La situation devenait gênante lorsqu'un coup de sonnette impérieux fit sursauter tout le monde. Mme Dupont courut ouvrir.

Le pseudo-Marcel Léonce se tenait sur le seuil. M. Dupont jaillit du salon en s'écriant avec force courbettes obséquieuses :

« Ah, cher ami, nous avons beaucoup de choses à vous apprendre ! Nous avons bien travaillé.

— Et Minou ? s'inquiéta Alphonse.

— Il a dû aller faire un tour, affirma sa mère en l'entraînant par la main. Nous le chercherons plus tard. Il ne faut pas retarder oncle Gustave. »

« Tiens, tiens, se dit Anne. Monsieur Marcel Léonce s'appelle oncle Gustave quand il est rue du Chat-qui-Pêche... Collectionnerait-il les faux noms ? »

Oncle Gustave s'assit dans un fauteuil et prit sans un remerciement le verre de whisky que lui tendait M. Dupont. Puis, avec une extrême attention, il écouta Charlotte et Alphonse raconter la conversation qu'ils croyaient avoir surprise entre les deux Taxis.

«Cela vérifie parfaitement les géniales hypothèses de vos services! s'exclama M. Dupont.

— Bon, bon, c'est très bien, bougonna oncle Gustave avec satisfaction. Comme nous devons éviter à tout prix la naissance d'éventuels soupçons, nous allons accélérer le mouvement.

— Nous attendons vos instructions pour passer à l'étape suivante, affirma M. Dupont en soulignant ses mots de gestes brusques.

— C'est bien simple, expliqua oncle Gustave. Il faut enlever ce Robert sans plus attendre.

— Chic! s'écrièrent Charlotte et Alphonse. Quand?

— Ce soir même. Je me méfie des services de contre-espionnage français. J'ai l'impression qu'ils se doutent de quelque chose.»

«Il va falloir trouver une parade rapide, pensa Anne. Cette affaire risque très vite de sentir le roussi.»

«Il n'y a pas une seconde à perdre pour mettre au point cet enlèvement», déclara oncle Gustave en se levant après avoir vidé son troisième verre de whisky.

Quentin, qui se sentait le gosier sec, regrettait de ne pas pouvoir se servir.

Oncle Gustave quitta l'appartement des Dupont, bientôt imité par les Invisibles et Quentin. Dès que le reste des deux bandes fut averti de l'imminence du danger, l'atmosphère se tendit. Les Abribus, malgré leur faible sympathie pour Robert, avaient mauvaise conscience de l'avoir fourré dans d'aussi sales draps.

«On s'est sans doute lancés dans cette affaire un peu à la légère, remarqua Anne. Après tout, nous ne savons pas de quoi sont capables cet oncle Gustave et sa bande. Nous ferions peut-être bien d'avertir le commissaire Duschmoll.

— Ne t'inquiète donc pas, répondit l'aîné des Taxis. Du moment que Quentin est là, il ne peut rien se passer de grave.»

Après avoir bu la moitié d'une de ses bouteilles favorites, le fantôme résuma la situation :

«Ou bien, comme le suggère Anne, nous prévenons la police avant l'enlèvement de Robert et nous ne faisons arrêter que les Dupont et oncle Gustave. Ou bien nous laissons enlever Robert et nous essayons d'attraper de bien plus gros poissons. La seconde solution est évidemment plus dangereuse mais a l'avantage de ne pas rester à la surface des choses. Corne de bouc! Moi, homme d'armes loyal, je n'ai jamais aimé les espions. Et encore moins les traîtres à leur pays pour quelque raison que ce soit. J'ai grande envie d'embrocher ces Dupont dès ce soir, corne de bouc de corne de bouc!

— De votre temps on embrochait peut-être les gens, mais aujourd'hui on les juge, dit Anne en souriant.

— C'est vrai, soupira Quentin. D'ailleurs je n'aurais aucun plaisir à embrocher un homme qui ne saurait même pas se défendre. Que diantre, les guerriers de ma trempe...

— ... ont aujourd'hui disparu! compléta Juan qui connaissait son Quentin sur le bout des doigts. Cela dit, votons pour savoir laquelle des deux tactiques adopter.»

Tout le monde vota pour intervenir le plus tard possible. Les Abribus avec quelque inquiétude. Les Taxis sans l'ombre d'une hésitation.

Chacun rentra dîner chez soi. Les Taxis, très énervés, firent un chahut monstre. Le taxidermiste, un vieux rocker devenu père de famille, finit par se mettre en colère et menaça de flanquer tous ses enfants à la poubelle. Leur mère dut intervenir pour rétablir un peu de calme et elle lança à l'adresse de son mari :

«Il ne faut pas faire dix enfants quand on ne supporte pas le bruit à table.

— Parce que c'est moi qui en ai voulu dix? grogna le taxidermiste.

— Parfaitement. Tu rêvais de constituer un orchestre rock avec ta famille...»

Le débat se poursuivit entre les parents,

et les Taxis n'écopèrent finalement que d'une suppression de dessert.

Juan renversa sur sa chemise son assiette de paella et alla se cacher dans la salle de bain pour réfléchir au calme. Antoine profita de ce que son père s'était lancé dans un grand discours politique pour repenser aux événements de la journée. Anne raconta tout à Arsène qui l'écouta d'une oreille attentive. Puis le singe effectua diverses cabrioles, lança en l'air son régime de bananes et finit par se blottir contre Anne en suçant à tour de rôle ses quatre pouces.

Puis chacun fit semblant d'aller se coucher en bâillant à s'en décrocher la mâchoire. A dix heures et demie, alors que le silence avait envahi l'immeuble, treize enfants glissèrent au bas de leurs lits. Les plus petits des Taxis avaient peur dans le noir et se serraient contre les plus grands. Tout le monde se retrouva dans les combles où Quentin venait juste de finir ses exercices de maniement d'épée à deux mains. Le fantôme faisait preuve d'une efficacité redoutable. Il pouvait soit couper un arbrisseau de l'épaisseur d'une cuisse, soit cueillir délicatement un trèfle à quatre feuilles pour l'offrir à sa belle amie. Pour se désaltérer il but deux grands verres de

whisky, puis fit
avaler deux
gouttes de
produit aux
enfants. Les
combles
parurent
se vider
instantanément.
L'attente
commença
en haut de
l'escalier. Deux des Taxis se mirent à ron-
fler et il fallut les réveiller. Un peu avant
minuit la lumière s'alluma et oncle Gustave
s'engagea dans l'escalier. Il était accompagné deux hommes. Un grand maigre au
visage de cheval et un autre dont la tête
semblait montée sur roulement à billes tellement il regardait sans cesse autour de lui.

Les hommes montaient l'escalier sans un
bruit. Tout à coup, alors qu'ils arrivaient
devant l'appartement du commissaire
Duguet, la porte s'ouvrit.

Les jumeaux Adémar et Adalbert firent
leur apparition dans leurs pyjamas rayés.

«Ah! ah! klaxonna Adalbert, les kro-
posniks téflonneurs à virole gambouillante
passent à l'attaque! On a bien fait de veil-
ler. On sentait bien qu'il se passait quelque

chose de louche depuis quelques jours.

— Sparlonk! gloussa Adémar. Notre père, le chef des bamboks verts, va leur cabosser la taroufle et leur couper l'anchtille...»

Les deux frères passaient leur temps à inventer des mots compris d'eux seuls. Oncle Gustave et ses complices restèrent muets de stupeur devant cette irruption soudaine. Antoine réagit au quart de tour. Il entraîna Juan à sa suite et se faufila dans l'appartement du commissaire. Des ronflements sonores leur indiquèrent la chambre où dormait le commissaire dans un pyjama rose à bandes bleues à côté de sa femme vêtue d'une chemise de nuit bleue à bandes roses.

«On les réveille. Vite», souffla Antoine.

Les deux amis imitèrent l'un le hululement du chat-huant et l'autre le mugissement de l'aurochs en colère.

M. et Mme Duguet, ahuris, se dressèrent sur leur séant. Ils entendirent les glapissements de leurs rejetons sur le palier.

Le commissaire se précipita hors de son lit et aperçut trois hommes descendant l'escalier sous les quolibets des jumeaux qui les traitaient de calforniques à radiations médiostatiques. Le commissaire s'excusa, distribua quelques taloches et expédia ses enfants au lit.

Les espions hésitèrent un long moment au bas de l'escalier. Ils discutèrent à voix très basse et dans une langue qu'aucun des Invisibles ne put comprendre. Puis ils se décidèrent à intervenir. Ils remontèrent l'escalier et s'arrêtèrent devant la porte du commissaire Duguet. Ils écoutèrent un bon moment, avant de monter jusque chez le docteur Tivier.

Les Abribus et les Taxis suivaient chacun de leurs gestes avec la plus extrême attention. Antoine, pris d'une horrible envie d'éternuer, se pinça le nez et grimpa quatre à quatre dans les combles pour laisser libre cours à ce besoin impérieux.

Le grand maigre sortit de sa poche une petite perceuse à piles dont le moteur n'émettait aucun bruit et perça un trou dans la porte des Tivier. Puis, par ce trou, l'homme à la tête pivotante introduisit un petit tuyau. Le tuyau était relié à une bonbonne de gaz. Les aînés des Taxis et les Abribus devinèrent tout de suite qu'il devait s'agir de gaz soporifique.

En effet, quelques secondes plus tard, les hommes ajustèrent des masques à gaz sur leurs visages. Oncle Gustave sortit alors de sa manche un pied-de-biche et, d'un geste rapide et sûr qui en disait long sur son entraînement, il ouvrit la porte qui céda avec un craquement sec.

Les trois espions se faufilèrent dans l'appartement. Juan et deux des Taxis se disposaient à les suivre, mais la poigne ferme de Quentin les arrêta.

«Ce n'est pas parce que vous êtes invisibles que le gaz anesthésiant n'aurait pas d'effet, jeunes imprudents. Je vais y aller, moi. Il y a belle lurette que le sommeil n'a plus prise sur moi.»

Quelques minutes plus tard, les trois hommes quittaient l'appartement des Tivier. Oncle Gustave portait Robert roulé dans une couverture comme s'il s'était agi d'un enfant malade.

On passa alors à la deuxième partie du plan de surveillance. Les plus jeunes des Taxis restèrent sur place avec Juan pour continuer à observer l'immeuble et les Dupont, tandis que Quentin, Antoine, Anne et les deux aînés des Taxis entamaient la filature des espions. Ils les virent monter dans une CX verte et démarrer aussitôt.

Quentin prit du produit, ce qui lui restitua aussitôt un corps de chair et d'os, puis s'installa au volant de la voiture de M. Charin, le père d'Antoine. Ce dernier n'était qu'à demi rassuré en tendant au fantôme les clés de la voiture paternelle.

Quentin, un mois plus tôt, était allé en Ecosse rendre visite à sa tendre amie Gwendoline McGregor. Le page de celle-ci avait absolument tenu à lui apprendre à conduire. Mais quand on connaissait la façon dont pilotait le page de Gwendoline, il y avait de quoi se sentir mal à l'aise[1].

De fait, Quentin démarra en trombe, dérapa de façon à peine contrôlée dans le premier virage, et Anne dut lui expliquer qu'une conduite plus discrète convenait mieux à une filature pour qu'il accepte de limiter les risques et de ne pas se coller tout contre la CX.

1. Lire *Mic-Mac en Ecosse,* dans la même collection.

Chapitre 4

Où l'on apprend la
nationalité des espions, où
Robert fait un effet
certain sur ses ravisseurs,
et où ça chauffe pour les
Taxis.

Malgré les exhortations des enfants, la conduite de Quentin était loin d'être d'une prudence exemplaire. Mais, au grand soulagement d'Antoine, la filature dura peu.

Bientôt les espions s'arrêtèrent devant les hangars d'une entreprise de transports frigorifiques.

«Ils ne vont tout de même pas le congeler! s'écria un des Taxis, gagné par l'inquiétude.

— Il est déjà assez givré comme ça! souffla Antoine.

— Mais non, dit Quentin en riant. Ces transports frigorifiques ne sont probablement que la couverture des espions. Il leur faut bien faire semblant d'exercer un métier en France.»

Les trois hommes avaient très vite trans-

porté Robert, toujours
endormi, à l'intérieur
d'un hangar. Dès qu'il
redevint fantôme,
Quentin les suivit en
passant à travers
les murs.
Les Invisibles
attendirent qu'il vienne
leur ouvrir la porte. Mais les minutes passaient et Quentin n'était toujours pas de
retour. Privés de la protection de leur ami,
les enfants se sentaient anxieux. Aucune
lumière n'éclairait les bâtiments. La nuit
était profonde et les miaulements déchirants d'un chat amoureux accentuaient le
côté angoissant de la situation.

«Vous vous rendez compte, s'ils assassinent Robert ou s'ils le maltraitent? murmura une des Taxis d'une voix alarmée.

— Vous n'étiez pas si inquiets tout à
l'heure... grommela Antoine qui avait la
chair de poule.

— Ça n'arrangera rien de vous disputer!» pesta Anne, pas très rassurée, elle
non plus.

Enfin une porte s'ouvrit à une vingtaine
de mètres et la voix de Quentin les appela.

Les Invisibles s'engouffrèrent avec soulagement dans des locaux qui sentaient à la fois le chou-fleur et l'essence.

«J'ai commencé par reconnaître un peu les lieux, expliqua le fantôme. D'autre part, en écoutant parler les espions j'ai compris qu'il s'agissait de Proniets.

— Ah! firent les Invisibles d'une même voix. Pauvre Robert!»

Les services secrets de la République proniétique avaient une sinistre réputation d'efficacité.

«Pour l'instant, ils n'ont pas l'air de vouloir le maltraiter, les rassura Quentin. Ils sont en train de le réveiller et lui ont même préparé un chocolat avec des croissants et de grandes tartines beurrées.»

Cette fois-ci, ce fut un pincement d'envie qui serra l'estomac des Invisibles. Quentin les guida à travers un dédale de couloirs et de chambres froides jusqu'au deuxième sous-sol des bâtiments.

Robert était allongé sur un divan, entouré de ses trois ravisseurs et de trois autres hommes corpulents aux sourcils très épais et aux cheveux ramenés en arrière et bien dégagés sur la nuque.

«On dirait des caricatures!» songea Anne un peu tranquillisée quant au sort de Robert qui buvait son bol de chocolat avec le plus grand calme.

Celui qui paraissait être le chef prit la parole :

«Alors, petit père, en forme? Comme tu dois déjà l'avoir compris, nous ne te voulons que du bien. Et tu auras beaucoup de cadeaux si tu acceptes de répondre à deux ou trois questions. Tu aimes les modèles réduits? Tu veux un char téléguidé, un bombardier qui vole pour de bon ou un sous-marin qui plonge pour de bon?

— Les trois! répondit Robert. Vous n'avez pas aussi des hélicoptères blindés et des grenades offensives?

— D'accord pour l'hélicoptère, mais les grenades, même miniatures, c'est pour jouer quand on est grand! répondit l'espion avec un gros rire.

— Et à quelles questions faut-il que je réponde? demanda Robert en prenant un air gourmand.

— Tu bénéficies, toi et tes petits camarades, d'une formation tout à fait particulière, n'est-ce pas?

— Hein?» fit Robert en se grattant le crâne. L'homme qui l'interrogeait semblait décidé à déployer toute la patience voulue. Il en eut bien besoin. Mais lorsque Robert comprit enfin qu'on le considérait comme un surdoué, sa mégalomanie s'éveilla comme par enchantement.

«Vous savez, il faut dire que mon père est un génie. Et ma mère aussi. Quant à moi, je dois vous l'avouer franchement, je suis l'addition des deux multipliée par dix. Comme l'a remarqué ma mère, mes profs ont le plus grand mal à me comprendre. Ce qui me vaut parfois de sales notes, d'ailleurs! Mais que voulez-vous faire avec des profs qui n'ont pas le millième de vos connaissances?»

Les espions se regardèrent, l'air satisfait.

Les Invisibles jubilaient en silence. Robert était lancé. Et pour une fois que plusieurs personnes l'écoutaient sans l'interrompre, le grand garçon frisé n'était pas près de s'arrêter.

« D'ailleurs, expliqua-t-il, ça s'est vu tout de suite. Je suis né un mois plus tôt que les autres avec toutes mes dents et je parlais déjà cinq langues. Comme mon père n'en parlait que quatre, il fallut appeler un traducteur.

— Ta mère avait subi un traitement pendant sa grossesse ? demanda oncle Gustave en se passant une main sur la joue, ce qui fit crisser sa barbe.

— Non. C'est comme ça dans la famille. Elle-même était née avec des cheveux si longs qu'elle avait pu se faire un chignon dans le ventre de sa mère. Mon père, lui, a deux cerveaux empilés l'un sur l'autre. L'un dort pendant que l'autre travaille, ce qui lui permet de ne jamais se coucher. Moi, il paraît que j'en ai trois, c'est-à-dire un de rechange au cas où l'un des deux fatiguerait quand même... »

Les Invisibles sentirent un énorme fou rire les gagner. Les espions, eux, commençaient à s'inquiéter.

« Et si tu nous parlais un peu de la formation que tu reçois, insista leur chef dont le front s'était creusé d'une barre soucieuse.

— Oh, je vais au collège parce que c'est obligatoire, mais je sais tout ce qu'on veut m'apprendre. Je vous l'ai déjà dit, je suis beaucoup plus fort que mes professeurs, et pour moi c'est très pénible de vivre au milieu de tous ces crétins...»

Un des Taxis faillit s'écrier : «Crétin toi-même!» mais Quentin qui veillait au grain lui plaqua une de ses énormes mains sur la bouche. Robert continua de lâcher la bride à son imagination. Les espions durent penser que ce jeune surdoué se moquait d'eux. Ils changèrent d'attitude et se mirent à l'interroger avec rudesse. Alors, la peur décupla la mégalomanie de Robert.

«Ne me touchez pas, je suis le fils de Goldorak et de la Princesse des Etoiles, brailla-t-il. Les Tivier ne sont que mes parents adoptifs. Si vous me touchez, mon vrai père enverra Fantomas vous punir avec son Excalibur et ma mère vous transformera en bassets. Alerte, transmutation... transmutation!»

Les espions paraissaient convaincus désormais d'avoir affaire, non à un surdoué, mais à un jeune garçon à la boîte crânienne un peu fêlée. Ils échangèrent quelques mots en proniétique, puis firent une piqûre à Robert.

Les Invisibles, inquiets, se demandaient s'il ne fallait pas intervenir, mais Quentin les rassura à voix très basse :

« Rien à craindre, c'est un somnifère. Ils vont le ramener chez lui. Laissez-moi écouter ce qu'ils racontent.

— Vous comprenez le proniétique ?

— Oui, répondit Quentin. Les fantômes comprennent toutes les langues. Il faut bien que nous ayons quelques avantages... »

Robert s'était en effet endormi après avoir couiné qu'il détestait les piqûres et notamment les injections de moelle de lion que lui faisait son père pour le rendre plus courageux.

Les espions roulèrent Robert dans une couverture, puis ils reprirent la direction de la rue du Chat-qui-Pêche.

Quentin conduisait beaucoup plus prudemment et paraissait inquiet. Antoine lui en fit la remarque.

« Les Proniets ne vont pas en rester là, expliqua-t-il. Ils pensent que Dupont s'est trompé ou même joue double jeu. Donc ils vont continuer à chercher. Vous savez, ce sont des gens obstinés qui mettent très longtemps à comprendre leurs erreurs... »

Les Invisibles sentirent un petit frisson désagréable les parcourir de la tête aux pieds. Cette fois les Proniets risquaient de s'attaquer directement à eux. Ils en étaient là de leurs pensées lorsque brusquement la voiture où les Proniets avaient pris place

freina juste au
moment de s'engager
dans la rue du Chat-
qui-Pêche. La lueur
bleutée
d'un car de
police
clignotait
en face
du 14.
« La barbe,
de la barbe,
de la barbe! pesta Antoine. Que s'est-il
passé? »

Quentin ne perdit pas de temps en
vaines conjectures. Il donna ses ordres aux
Invisibles. Il fallait profiter de leur état
pour rentrer chez eux au plus vite. Lui, il
continuerait à suivre les Proniets.

Les Taxis, Antoine et Anne, assez mal
à l'aise, galopèrent en direction de leur
immeuble.

« Ne faites pas tant de bruit en courant!
grommela Antoine aux Taxis. On dirait un
troupeau d'éléphanteaux. »

En se glissant entre deux agents qui
bavardaient à côté du car, ils constatèrent
que ceux-ci ne paraissaient guère affolés.
Les Taxis se faufilèrent chez eux. Antoine
pénétra dans son appartement sur la

pointe des pieds et, après un moment d'hésitation, décida de s'enfermer dans les toilettes avec son miroir de poche en attendant de redevenir visible. Aussi longtemps que le produit agissait, le miroir ne reflétait aucune image.

Bien lui en prit. Deux minutes plus tard, on sonnait à la porte d'entrée. M. Charin alla ouvrir. A la vue du commissaire Duguet en robe de chambre, son sang ne fit qu'un tour, car les deux hommes se détestaient cordialement.

« Etes-vous sûr d'avoir le droit de réveiller les gens dans cette tenue ? ironisa M. Charin. J'écrirai au ministre de l'Intérieur pour lui faire part de votre laisser-aller...

— N'entravez pas l'action saine et généreuse de la police, il y va du sort d'un enfant », lança le commissaire avec une

 grandiloquence comique chez un homme drapé dans une robe de chambre framboise écrasée.

« Le petit Tivier a disparu.

« Il est peut-être tout simplement somnambule », dit M. Charin.

« Les Tivier se sont réveillés un peu trop

tôt, pensa Antoine dans les toilettes. Et moi qui ne redeviens toujours pas visible!» se lamenta-t-il en attendant désespérément que son image apparaisse dans le miroir.

«Et pourquoi un somnambule s'amuserait-il à percer des trous dans une porte pour pouvoir crocheter une serrure de sûreté? demanda le commissaire sur un ton venimeux. Mumpf?»

M. Charin qui avait débuté dans la vie comme serrurier s'était consacré par la suite à la ferronnerie d'art. Le commissaire Duguet s'obstinait à penser qu'il utilisait son savoir-faire à des fins malhonnêtes.

«Ecoutez, lança M. Charin que ces soupçons exaspéraient au plus haut point, depuis dix ans je n'ai jamais touché une serrure sauf la mienne en y glissant *ma* clé. C'est clair? Par contre votre intelligence me paraît drôlement verrouillée!

— Pouvez-vous me dire exactement où se trouve votre fils? poursuivit le commissaire. Nous vérifions si tous les enfants de l'immeuble sont bien ici... Vu tout ce qui s'est déjà passé dans cette rue...»

Antoine jugea préférable d'intervenir :

«Je suis aux cabinets.

— Tiens, fit son père, c'est là que tu dors maintenant?»

Et il claqua la porte au nez du commissaire.

C'est alors qu'Antoine faillit commettre une énorme bêtise. Tellement content d'être redevenu visible, il ouvrit la porte des toilettes. Mais il la referma aussitôt en constatant in extremis qu'il était tout habillé.

«Que se passe-t-il? lui demanda son père qui n'avait rien vu dans la pénombre du couloir. Tu es malade?

— Non, non», fit Antoine très mal à l'aise.

M. Charin regagna sa chambre sur les injonctions de sa femme toujours inquiète du tour que prenaient les algarades entre le commissaire et son mari. Antoine l'avait échappé belle. Il se glissa dans son lit après s'être déshabillé à une vitesse record. Mais il lui fallut un bon moment avant de pouvoir s'endormir : le

sort de Robert et l'obstination des Proniets l'inquiétaient.

A peu près au même moment, trois
hommes en imperméables mastic et chapeaux mous enfoncés jusqu'aux sourcils se
faufilaient derrière les buissons d'un jar-
din public.

Il s'agissait des Trois Etroits, gangsters
rangés des voitures. En se promenant au
milieu de la nuit ils avaient découvert que
les policiers grouillaient dans le quartier.
Un réflexe instinctif les avait alors poussés
à se fondre dans la nuit.

«Tiens, qu'est-ce qu'il y a sur ce banc?»
souffla Lulu les Lorgnons.

Il fit trois pas, se pencha et murmura :

«Un gosse... mais... il habite la rue... je
le connais.

— Laisse tomber. Avec tous ces flics...
On va nous accuser de l'avoir kidnappé!
grogna Jojo Gomina, chef incontesté de
la bande.

— C'est vrai, on nous accuse toujours
de...»

L'ancien gangster n'acheva pas sa
phrase. Une torche électrique inondait de
lumière les trois hommes et le banc, tandis
qu'une voix bourrue lançait :

«Tiens, tiens, ce sont nos vieux amis.

Et que faites-vous dissimulés derrière ce banc? Mais... mais c'est le môme qu'on cherche!

— Ah, c'est pas nous! beugla Jojo Gomina. C'est pas nous, c'est eux... ajouta le chef des Trois Etroits sans savoir lui-même qui était ce "eux".

— Eh bien, c'est ce que vous allez expliquer au commissaire», jubila le brigadier en appelant son chef par talkie-walkie.

Les Trois Etroits eurent l'impression que le ciel leur tombait sur la tête et se mirent à larmoyer lamentablement.

Quentin avait surveillé toute la scène. Il estima que Robert ne risquait plus rien et qu'il pouvait regagner les combles.

Chapitre 5

*Où le commissaire Duguet
a bien du travail et où
deux Taxis disparaissent,
bientôt suivis par les deux
bandes.*

Le commissaire Duguet s'épongea le front et vida son huitième gobelet de café. L'interrogatoire puis la confrontation des Trois Etroits et de Robert assisté de ses deux parents duraient depuis des heures.

«Mais puisqu'on se tue à vous dire qu'on est innocents! glapit Jojo Gomina. Je vous assure que c'est un coup d'Ambrosiano Lamborini. La maffia a toujours rêvé de s'implanter sur notre territoire.»

Quant à Robert il prétendait avoir été enlevé par les légions cosmiques du grand Z d'argent et confirmait que les Trois Etroits, beaucoup trop minables à son goût, n'y étaient pour rien.

Le commissaire balaya d'un geste exaspéré les dossiers qui s'empilaient sur son bureau.

«Disparaissez tous autant que vous êtes!

Laissez-moi faire mon travail. Je vous convoquerai si j'ai besoin de vous. »

Les Trois Etroits ne se le firent pas dire deux fois. Le docteur Tivier et sa femme entraînèrent Robert avec tous les signes de la dignité offensée.

Dès qu'il fut à quelques mètres du commissariat, hors de portée de voix du planton, Jojo Gomina confia à ses hommes :

« J'ai bien réfléchi et je sais où trouver Ambrosiano Lamborini. Il s'est grimé pour mieux nous posséder.

— Et qui est-ce? demanda Alfred les Mécaniques.

— Ce pseudo-Dupont qui a sous-loué un appartement au 14 de la rue du Chat-qui-Pêche.

— Que serions-nous sans vous, que cette heure arrêtée au cadran de la montre! s'écria Lulu les Lorgnons, le plus cultivé des trois.

— Allons au  *Verre Bleu* préparer la contre-attaque. » Tandis que les trois gangsters en retraite allaient s'installer au sous-sol de leur café préféré, les Abribus et les Taxis se réunissaient chez Quentin. Malgré une nuit un peu courte et agitée, il fallait absolument faire le point avant de se rendre au collège.

Le fantôme les mit au courant de ce qui s'était passé au commissariat.

«Pas de nouvelles des Dupont? demanda Juan.

— Non, répondit Quentin. Je les ai un peu oubliés, ceux-là.

— On pourrait passer chez eux avant d'aller au collège, proposa Anne. Juste un petit tour pour voir.

— D'accord», dit Quentin en finissant un fond de bouteille de whisky. Et il ajouta avec un claquement de langue : «Fameuse, cette marque, mes fournisseurs habituels ont intérêt à en avoir en stock...»

Anne et une Taxi avalèrent une demi-goutte de produit et disparurent sur-le-champ. Quentin passa à travers le mur et ne tarda pas à venir leur ouvrir. Mais à la grande stupéfaction des deux Invisibles qui s'apprêtaient à entrer sur la pointe des pieds, il leur dit à voix haute :

«Inutile de prendre des précautions.»

Anne et la Taxi ne tardèrent pas à comprendre : l'appartement était vide. Les Dupont avait déménagé sans laisser la moindre trace.

«Les meubles n'étaient pas à eux, ils n'ont eu que leurs valises à emporter, murmura Anne.

— Oui, mais comme disait mon grand-père, mieux vaut dix ennemis à portée de main qu'un seul dans la nature! s'exclama la Taxi.

— Ton grand-père était la sagesse même! ironisa Quentin. Il va falloir ouvrir l'œil.»

Anne, la Taxi et Quentin regagnèrent les combles, à la fois dépités et inquiets. Les enfants, fut-il décidé, se rendraient au collège comme si de rien n'était mais ils mettraient l'Yltiogien au courant. Ce serait chose facile puisqu'il tenait le rôle de M. Fureteux. Quant à Quentin, il passerait au domicile de Marcel Léonce et on ferait de nouveau le point à l'heure du déjeuner.

En partant pour le collège, les aînés des Taxis et les Abribus entendirent Mme Beurry-Griffard, l'épicière, grommeler dans leur dos en empilant ses fruits et légumes :

«Il y a encore eu du grabuge au 14 à cause de ces sales gosses. Je te les dresserais si j'étais leur mère... Ils ne perdraient pas leur temps à écouter de la musique de fou et à lire des bandes dessinées...»

Aussitôt arrivés au collège les enfants se mirent en quête de l'Yltiogien qui tenait à merveille le rôle du professeur de sciences naturelles.

« J'ai eu un coup de téléphone de M. Fureteux hier soir, dit l'extra-terrestre avec un large sourire. Il vous transmet ses amitiés et me paraît l'homme le plus heureux du monde. Comme quoi l'amour n'a pas d'âge...

— Euh oui, fit Anne non sans un certain embarras tandis que les garçons ricanaient bêtement. Mais nous sommes venus vous parler de choses moins gaies...»

Et elle mit l'Yltiogien au courant de la situation. Au fur et à mesure qu'elle parlait, le visage de l'extra-terrestre s'assombrissait.

« Les Proniets sont redoutables, en effet. Pris individuellement ils sont comme vous et moi, mais leurs dirigeants sont persuadés d'avoir toujours raison et n'hésitent pas à imposer leur vérité par la force. Il faut vous montrer de la plus extrême prudence. Le temps de s'apercevoir qu'ils se sont trompés, ça peut prendre des millénaires...»

Les enfants avaient espéré que l'extra-terrestre leur proposerait d'intervenir. Ils étaient très déçus.

L'Yltiogien en prit conscience. « Ne vous inquiétez pas trop, leur dit-il en souriant. Je vous aiderai de mon mieux. Pour commencer, placez sous chacune de vos montres cette pastille magnétique. En voilà quelques autres que vous remettrez aux Taxis qui sont à l'école primaire.

— Qu'est-ce que c'est ? demanda Juan en collant comme ses copains un minuscule petit confetti autocollant sous sa montre.

— C'est un signal qui émet en permanence sur une fréquence indétectable par les récepteurs radio terrestres. Si l'un d'entre vous était enlevé, je dispose de l'appareil permettant de le localiser dans un rayon de deux mille kilomètres avec une marge d'erreur inférieure à quinze mètres.

— Comme quoi l'avenir c'est la technologie! murmura sentencieusement un des Taxis.

— Tu l'as dit, bouffi!» plaisanta Antoine.

La journée se passa sans incident particulier mais les enfants étaient très tendus. Quentin, à la première récréation du matin, était venu les avertir que Marcel Léonce avait lui aussi disparu sans laisser de traces...

A la tombée de la nuit, il ne s'était toujours rien passé. Les aînés des Taxis avaient distribué les pastilles magnétiques de l'Yltiogien à leurs petits frères et sœurs.

Aucun des enfants n'était parvenu à faire ses devoirs. Ils ne pensaient plus qu'aux espions. Antoine, debout sur son balcon, surveillait la rue. A priori, chaque voiture qui se garait était suspecte à ses yeux.

Il vit deux des Taxis sortir promener Constrictor, leur affreux python aux yeux jaunes qui terrorisait une bonne partie du quartier.

Les Taxis croisèrent les jumeaux.

«Tiens, tiens, fit Adalbert, voilà les schmeux à globules verts qui promènent leur niftalaupe.

— Oui, et ils vont attraper, comme Robert, la bilbalose à trouilloscopes géants.»

Les Taxis firent mine de se fâcher et les jumeaux détalèrent en imitant à merveille la sirène d'un car de police. Ce bruit attira Mme Beurrey-Griffard sur le seuil de son épicerie.

«Les enfants de ce sympathique commissaire sont décidément aussi dégénérés que les autres!» soupira-t-elle avec tristesse.

Elle allait rentrer chez elle mais il se passa quelque chose qui la stupéfia, ainsi qu'Antoine.

Les Taxis longeaient une voiture en stationnement lorsque tout à coup les quatre portières s'ouvrirent. Quatre hommes en jaillirent.

Pétrifiés de terreur, aucun des Taxis n'eut le loisir de pousser un cri. Chacun d'eux fut entouré par deux hommes, soulevé de terre et jeté dans la voiture qui démarra sur les chapeaux de roues. Constrictor, quant à lui, revint tout seul dans l'immeuble.

La scène avait duré moins de cinq secondes.

Mme Beurrey-Griffard se hâta de rentrer chez elle en grommelant :

«J'ai rien vu, rien entendu!»

Antoine, ahuri, regarda la voiture disparaître au coin de la rue. Il resta un moment pétrifié avant de pouvoir réagir. Il fila chez Anne, puis chez Juan, puis chez les Taxis en répétant à chaque fois :

«Tous chez Quentin, vite, vite, c'est très grave!»

Antoine raconta ce qu'il venait de voir. La consternation se lut sur tous les visages. Pour une fois, les deux bandes étaient à l'unisson. Une des petites Taxis se mit à pleurer, aussitôt imitée par son plus jeune frère, et Quentin dut les prendre dans ses bras.

«Heureusement qu'on a les signaux de

l'Yltiogien! dit Juan. Il faut aller chercher l'appareil permettant de les localiser. Mais je ne sais pas comment on va faire pour mener notre enquête.

— Pourquoi? demanda un des Taxis d'une voix blanche.

— Hier, c'est Robert qui disparaissait. Aujourd'hui c'est le tour de deux d'entre nous. Nos parents vont certainement nous boucler dans nos appartements, expliqua Juan.

— Nous avons deux solutions : ou bien laisser Quentin et l'Yltiogien continuer seuls l'enquête. Ou bien disparaître nous aussi pour pouvoir la mener à bien avec eux, expliqua Anne.

— Pas question d'abandonner l'enquête! s'exclamèrent les Taxis, Juan et Antoine à l'unisson.

— Alors on laisse un mot aux parents et on passe dans la clandestinité, proposa Anne.

— Pour toi c'est facile : ta mère est au Zambèze, affirma un Taxi. C'est pas toi qui te feras engueuler au retour!»

Après une longue discussion, la solution d'Anne fut adoptée. Mais les Taxis, Juan et Antoine avaient maintenant un double sujet d'inquiétude : les espions et l'accueil familial à l'issue de l'aventure. Juan

affirma devoir s'attendre à une véritable corrida.
— Tu n'es pas Espagnol pour rien!» plaisanta Antoine avec une bourrade consolatrice.

Et il prit un air rêveur en songeant à la scène très française que lui ferait M. Charin.

Tandis que Quentin allait prévenir l'Yltiogien, chacun des enfants, sauf Anne, se mit à rédiger un brouillon de mot pour les parents. Finalement les Taxis et les Abribus décidèrent de n'envoyer qu'une seule lettre et choisirent le texte de Juan.

Une heure plus tard, Mme Lopez montait chercher M. et Mme Charin, le taxidermiste et sa femme. D'une voix affolée elle leur demanda de la suivre. Quand tout le monde fut descendu dans la loge, elle montra, sans un mot, la lettre dont elle venait de prendre connaissance :

70

« Chers parents,

L'autre jour Robert a été enlevé. Aujour-d'hui c'est le tour de deux d'entre nous. Nous savons qui a fait le coup et nous allons les délivrer. Ne vous inquiétez pas, ce n'est pas du tout dangereux et nous n'en aurons pas pour longtemps. Nous restons tous ensemble pour être plus efficaces. A bientôt,

les Taxis et les Abribus. »

« Qu'est-ce que c'est que cette histoire à dormir debout! s'exclama le taxidermiste. Ils ont voulu se payer une petite fugue et ils nous racontent n'importe quoi!

— N'oublie pas que Robert avait vraiment disparu l'autre jour, souligna sa femme.

— Il faut tout de suite avertir le commissaire Duguet, affirma M. Lopez.

— Pour qu'il nous prouve encore une fois l'étendue illimitée de son incompétence, soupira M. Charin.

— En tout cas il faut le prévenir, dit Mme Charin. Je me demande ce qui a pu leur passer par la tête de disparaître comme ça. J'espère que ce n'est qu'un jeu. »

Mais il était clair, au son de sa voix, que Mme Charin, comme tous les autres parents, était très inquiète.

71

Alerté, le commissaire Duguet prit les affaires en main. Mais la disparition, volontaire ou non, de treize enfants, voilà qui était sérieux! Il résolut de se couvrir en téléphonant en haut lieu. Il joignit le commissaire divisionnaire Duschmoll. Ce dernier réagit au quart de tour.

«Ne faites rien avant que j'arrive, dit-il, laconique. Je serai là dans dix minutes.»

Quelques instants plus tard sa voiture quittait en trombe le quai des Orfèvres après qu'il eut lancé à son chauffeur :

«Gyrophare, sirène et pied au plancher, ça sent le roussi. Pour de bon.»

A cet instant précis, la gouvernante de Gaspard Naicreu lui tendait le téléphone qui venait de sonner.

«Ils viennent de se mettre à découvert, annonça Maurice Garneman. Je suis dans la voiture banalisée 212 AZT 75. Je passe vous prendre.

— A tout de suite», répondit Gaspard Naicreu. Puis, se tournant vers sa gouvernante : «Jeanne, mon pantalon de flanelle feuille morte, ma veste en cachemire, chemise et nœud papillon assortis, chaussures de marche, merci.»

Une heure plus tard, dans le quartier

entièrement quadrillé, les policiers recherchaient activement les enfants.

« Nous ne trouvons rien, confia le commissaire Duschmoll au commissaire Duguet. Mais on ne nous accusera pas de ne rien faire ! » ajouta-t-il en désignant d'un mouvement de tête excédé les journalistes qui commençaient à affluer.

Le quartier était en émoi et quand Hippolyte Duvivier, un des premiers sur les lieux, voulut demander à Mme Beurrey-Griffard si elle avait vu quelque chose, elle répondit d'un ton sec :

« Cette engeance de gangsters, de drogués et de bons à rien ? Moi, monsieur, leur sort ne m'intéresse pas ! »

Les marchands de farces et attrapes étaient tout désolés. Ils auraient tant voulu répondre aux questions ! Mais ils ne savaient rien.

« Pourvu que les petits reviennent ! dirent-ils en chœur. Ils sont gentils, vous savez... »

Pendant ce temps, les deux bandes discutaient fébrilement avec Quentin et l'Yltiogien dans l'appartement de M. Fureteux.

L'extra-terrestre sortit de sa poche quelque chose qui ressemblait à une calculette extra-plate et appuya sur une touche. Sur un écran des chiffres donnèrent la longitude et la latitude du lieu où se trouvaient les deux Taxis enlevés.

«Les chiffres sont stables, constata-t-il. C'est donc qu'ils ne bougent pas. Quand les chiffres changent constamment, c'est qu'ils sont en déplacement.»

Puis l'Yltiogien fouilla de nouveau dans sa poche et en sortit une boîte de la taille d'un portefeuille. Il y glissa le petit récepteur et sur un écran carré d'une dizaine de centimètres apparut une portion d'un plan de Paris et de sa banlieue. Un point rouge se mit aussitôt à clignoter sur une des rues du plan.

«Ils sont rue des Trouvères à Asnières», déclara l'extra-terrestre.

Les enfants étaient bouche bée d'admiration.

«Corne de bouc! s'écria Quentin. Si nous avions eu votre appareil pour localiser les ennemis de mon bon roi Louis... Enfin, on ne refait pas l'histoire. Eh bien, allons-y! Je me charge d'emprunter un moyen de locomotion plus spacieux que la voiture de M. Charin.»

Quentin n'hésitait jamais à «emprunter» quand la nécessité s'en faisait sentir. Il faut dire qu'il dédommageait toujours le propriétaire de l'objet avec des louis d'or puisés dans le trésor de la garde écossaise dont il était le gardien. Aussi personne n'avait jamais porté plainte...

«Mieux vaut que tout le monde prenne du produit, conseilla Quentin.

— Même moi? demanda l'Yltiogien avec une lueur amusée dans le regard.

— Oui, affirma Anne.»

Et elle tendit le flacon à l'Yltiogien qui fut donc le premier à disparaître.

Chapitre 6

Où le contre-espionnage décide de laisser filer la ligne, où apparaît un mystérieux motard et où les habitants d'une villa isolée partent en promenade au milieu de la nuit.

Un quart d'heure plus tard, le gardien de nuit d'un garage vit l'une de ses estafettes de louage gagner la sortie. Il voulut se lever mais une poigne de fer l'obligea à rester assis tandis qu'une petite pile de louis d'or apparaissait sur la table.

«Voilà pour la location, dit une voix autoritaire. C'est bien payé. Au revoir.»

Le brave homme ne sut jamais s'il s'était évanoui ou si on l'avait anesthésié.

Quentin, car c'était lui, rejoignit l'Yltiogien qui avait pris place au volant. Puis le fantôme avala du produit et conduisit le véhicule : un camion circulant sans chauffeur visible aurait risqué d'attirer l'attention.

Les plus petits des Taxis dormaient à l'arrière. Les aînés et les Abribus étaient très tendus.

Au même moment, Maurice Garneman, toujours dans sa voiture, téléphonait à Gaspard Naicreu, qu'il avait déposé peu auparavant au quartier général :

«Nos hommes les ont suivis. Ils sont dans une villa de banlieue dont j'ai l'adresse.

— Bien, dit Gaspard Naicreu. Plus le poisson sera gros, plus nous laisserons filer la ligne. Vous allez vous rendre sur les lieux, renvoyer vos bonshommes chez eux et suivre personnellement cette affaire. Vous me tiendrez au courant de chaque changement de situation. Nous verrons bien si les gosses retrouvent leurs petits copains. Je le souhaite.

— Pourquoi? Ils vont nous gêner, maugréa Maurice Garneman.

— Si les gosses retrouvent leurs copains, les Proniets vont devoir modifier leurs plans. Il est bien possible qu'ils décident de les enlever aussi. Plus ils devront improviser, plus ils risquent de faire de bêtises et plus notre tâche en sera facilitée.

— Vous êtes machiavélique, lança Maurice Garneman admiratif.

— Non, efficace», murmura Gaspard

Naicreu en prenant dans sa poche un porte-cigarettes en argent ciselé d'où il sortit une cigarette turque.

Le commissaire Duguet serait bien volontiers allé se coucher. Mais le commissaire Duschmoll avait insisté pour que la police reste auprès des parents et les tienne en permanence informés. Ces derniers, en effet, incapables de dormir, attendaient le retour de leurs enfants en pestant de plus en plus contre l'inefficacité des policiers.

«Treize enfants, ça ne devrait pourtant pas être sorcier à retrouver!» bougonnait M. Charin toutes les vingt minutes.

La camionnette conduite par Quentin gagna sans encombre la rue des Trouvères à Asnières. La petite rue calme, où les pavillons semblaient dormir derrière de minuscules jardins, était déserte à cette heure de la nuit.

L'Yltiogien posa la carte et son appareil sur le tableau de bord. Il était redevenu visible ainsi que tous les enfants. Le fantôme, par contre, était redevenu invisible.

«Un voyant lumineux va s'allumer quand nous serons à moins de vingt mètres d'eux.»

En effet, alors que l'estafette passait devant un pavillon plus vaste que les autres, une petite lumière bleue se mit à clignoter.

«Ils sont là, s'écria Juan. On y va et on les délivre!

— Pas si vite, mon jeune ami, dit Quentin en riant. J'aime les tempéraments fougueux mais il faut réfléchir pour intervenir au bon moment et non à tort et à travers.»

Les Taxis étaient déçus qu'on ne délivre pas tout de suite leur frère et leur sœur.

«Je vais profiter de mes talents de passe-muraille, dit Quentin, pour aller voir ce qui se passe à l'intérieur. Et je vous jure que si on touche à un cheveu des deux prisonniers je fais un massacre!»

L'air du fantôme était si déterminé et sa force était si prodigieuse que tout le monde se sentit pleinement rassuré.

Au moment où Quentin, devenu complètement invisible, allait quitter la camionnette, un motard la longea en roulant très lentement et en dévisageant ses occupants. L'Yltiogien détourna aussitôt la tête.

«Une 900 Kawasaki!» s'exclama Juan qui se passionnait pour les motos.

Le motard s'arrêta un peu plus loin et fit un geste de la main. A une centaine de mètres de là, une voiture démarra et déboîta. Lorsqu'elle passa devant la camionnette les enfants virent qu'elle contenait deux hommes sans signes distinctifs particuliers.

« J'ai l'impression qu'ils ont démarré quand le motard leur a fait signe, remarqua l'aîné des Taxis. D'ailleurs ils roulaient bien lentement.

— Le motard aussi roule comme un escargot, dit Antoine.

— Vous croyez qu'il est de mèche avec les espions ? demanda Juan.

— Tout est possible, soupira l'Yltiogien dont le visage s'était assombri.

— Bon, j'y vais et je reviens le plus vite possible », dit une voix qui semblait sortir du néant.

L'attente parut longue aux enfants. Que s'était-il passé rue du Chat-qui-Pêche depuis leur départ et quelle avait pu être la réaction de leurs parents ? Ils se le demandaient.

« Cessez de bavarder et écoutez-moi

une seconde, dit tout à coup une voix bien connue. Les deux kidnappés dorment comme des souches. On a dû les anesthésier un bon coup. Quant aux espions, ils n'ont pas l'air d'accord entre eux. Certains voudraient transporter immédiatement les enfants en République proniétique. D'autres pensent que ce n'est pas une chose à improviser...»

Soudain Quentin se tut. Une porte de garage venait de s'ouvrir au rez-de-chaussée de la villa. Aussitôt une voiture dont les vitres étaient tendues de rideaux intérieurs sortit de la maison et s'engagea dans la rue.

L'Yltiogien jeta un coup d'œil à son appareil et vit que les chiffres changeaient.

«Ils déménagent leurs prisonniers, dit-il aussitôt.

— On les suit, dit Quentin.

— Où les emmènent-ils? s'inquiéta un des Taxis.

— C'est le moment d'intervenir, affirma Anne.

— Je vais les rattraper et les forcer à s'arrêter», dit Quentin en lançant le moteur.

Il avala une gorgée de produit et retrouva instantanément ses cent kilos de muscles.

L'Yltiogien fit remarquer que, curieusement, la voiture des Proniets ne faisait guère d'effort pour les semer. Tout juste tirait-elle des bordées d'un côté à l'autre de la rue pour empêcher ses poursuivants de la doubler.

«Quand l'ennemi s'amuse avec vous, c'est qu'il se croit le plus fort, grogna Quentin. Ah, que n'ai-je emporté mon épée à deux mains! J'aurais saucissonné ces mangeurs de petits enfants...»

Au petit jeu du chat et de la souris, on quitta la grande banlieue pour suivre une petite départementale. Les deux bandes étaient de plus en plus étonnées que les espions n'utilisent pas les possibilités d'accélération de leur voiture.

«Et s'ils sont armés jusqu'aux dents? hasarda un des Taxis avec une pointe d'angoisse dans la voix.

— Pas de panique, répondit l'Yltiogien. J'ai ce qu'il faut.»

Après de nombreuses tentatives, Quentin réussit enfin à doubler la voiture des espions qui freina pour éviter la camionnette et ne chercha pas à fuir.

«Attendez», dit l'Yltiogien.

Il sortit un bras par la vitre ouverte. Au bout du bras il y avait ce qu'on aurait pu prendre pour une toute petite lampe de poche de la taille d'un stylo. Mais il en fusa un rayon vert qui statufia sur-le-champ les occupants de la voiture.

«Ils sont neutralisés, mais pour quatre minutes seulement», prévint l'extra-terrestre.

Tout le monde sauta de la camionnette et la longue limousine noire fut inspectée en détail. Mais il n'y avait pas trace des deux Taxis.

Les deux bandes se regardèrent, consternées. Cette fois-ci il n'y avait plus la moindre chance de retrouver les deux kidnappés.

«Si on retourne rue des Trouvères, ils n'y seront évidemment plus, constata amèrement l'aîné des Taxis. On s'est bien fait avoir.»

Quentin, furieux, prit la voiture pour un punching-ball et lui donna en quelques secondes des formes étranges. A l'intérieur, secoués, ballottés par les coups de

83

poing rageurs du fantôme, aussitôt imité par les Taxis, les quatre hommes ne bronchaient pas. Le regard fixe, la mâchoire pendante, ils avaient l'air de pantins stupides.

Quand, au bout des quatres minutes, ils s'animèrent, ce fut pour se répandre en sourires et déplorer mollement cette agression qui mettait en péril l'amitié entre les peuples.

«L'antiproniétisme est la plus grave des maladies, ainsi que l'a souvent expliqué notre grand guide Naphtaline.

— J'ai compris, s'écria tout à coup une des Taxis. Ils ont trouvé les pastilles électroniques et nous ont menés en bateau pendant qu'ils transportaient notre frère et notre sœur en lieu sûr.

— C'est la seule explication possible», soupira l'Yltiogien.

Une lueur glacée scintilla quelques instants dans le regard du chauffeur de la limousine. Mais les quatre hommes continuèrent à affirmer qu'ils ne comprenaient pas ce qu'on leur voulait.

«Notre ambassade va devoir adresser une énergique protestation auprès du gouvernement français», expliqua l'un des deux hommes non sans détailler Quentin avec ahurissement.

L'uniforme des gardes écossais de Louis XI, pourpoint bleu brodé d'une fleur de lys d'argent et bonnet surmonté d'une plume d'aigle, devait lui paraître fort étrange.

« Ils ont bien manœuvré, soupira Antoine découragé. Nous n'avons plus aucune piste.

— Voulez-vous que je leur tire les oreilles ? » proposa Quentin.

En entendant ce bon quintal de muscles parler sur ce ton, les espions eurent une moue contrariée. Contrariété qui se mua en peur très réelle lorsque Quentin arracha le capot du coffre et le plia en quatre aussi aisément que s'il s'était agi de carton bouilli.

« Mais... mais... gémit un des espions, cette voiture était pourtant blindée...

— Raison de plus pour vous montrer coopératifs, susurra Quentin d'une voix qui ne présageait rien de bon.

— Nous ne savons rien!» s'écrièrent les quatre hommes avec une touchante unanimité, et leur chef ajouta : «On nous a demandé de vous promener un peu...»

Quentin leva le poing au-dessus de celui qui venait de parler et l'aurait certainement laissé retomber avec la force d'un marteau-pilon si Anne ne s'était écriée :

«Arrêtez, Quentin. Ils disent la vérité, c'est très probable. Et je ne supporte pas qu'on maltraite les gens.

— Il s'agit juste de leur faire peur pour qu'ils nous disent où sont notre frère et notre sœur, protesta un des Taxis.

— La fin ne justifie pas les moyens!» déclara fermement Anne.

Antoine et Juan étaient très indécis. Une terrible lutte se déroulait dans leurs têtes. Certes, ils sentaient qu'Anne avait raison mais ils enrageaient à l'idée de laisser repartir les espions sans autre forme de procès.

«On ne fait pas d'omelette sans casser des œufs», hasarda Antoine.

Anne resta intraitable.

«Les principes, ce n'est pas fait pour s'asseoir dessus quand ils vous gênent, comme dirait notre prof de français.»

La discussion s'annonçait houleuse. Quentin y mit fin en décidant qu'Anne avait raison. Il regrettait de s'être laissé emporter. «Bravo, mon ami! s'exclama l'Yltiogien.

Je ne voulais pas me mêler de morale terrienne mais, sur Yltiog, les mauvais traitements et la torture n'existent pas.»

Une des sœurs Taxis éclata en sanglots :

«Si on ne revoit jamais ma sœur et mon frère, ce sera de votre faute», s'écria-t-elle.

Alors, se produisit quelque chose de tout à fait inattendu. Celui des quatre Proniets qui paraissait le chef prit la parole :

«Cette histoire d'enfants ne nous plaît pas, vous savez. Nous vous assurons que nous ne savons rien...»

Les deux bandes auraient pu douter de la sincérité de cette déclaration si un autre espion, visiblement outré, ne s'était mis à insulter son chef. Voir un Proniétique insulter son supérieur était une attitude si insolite que les deux bandes comprirent que le chef des espions avait dit la vérité.

Les deux bandes, rongées d'inquiétude, abandonnèrent les espions et reprirent le chemin de la villa.

«Vous n'auriez pas un autre instrument pour repérer les deux Taxis? demanda anxieusement Juan à l'Yltiogien.

— Hélas non! soupira l'extra-terrestre.

— Si on allait à l'ambassade proniétique leur dire qu'on sait tout et les menacer d'un énorme scandale? proposa l'aîné des Taxis.

— Non, nous n'avons aucune preuve et nous ne ferions que nous jeter dans la gueule du loup», affirma Quentin.

Le voyage de retour fut morne. La moitié des enfants s'endormit. Une fois revenus rue des Trouvères, Quentin alla faire un tour dans la maison.

Bien entendu, elle était vide...

«Il ne nous reste plus qu'à avertir la police, soupira Antoine. On aurait dû commencer par là. On a perdu du temps pour rien en voulant mener nous-mêmes l'enquête.

— Oui», dut admettre Anne, les yeux embués de larmes.

Mais tout à coup les enfants dressèrent l'oreille. Ils percevaient le bruit d'un moteur puissant qui tournait au ralenti.

«Le motard! s'exclama Juan. Je reconnais la 900 Kawasaki.»

Chapitre 7

Où réapparaît le mystérieux motard, où les Trois Etroits tentent de décrisper la situation et où le contre-espionnage joue gros.

De fait, le motard aperçu un peu plus tôt dans la soirée vint se garer le long de la camionnette. Les occupants se tinrent aussitôt sur la défensive. L'homme était entièrement vêtu de cuir noir, son casque intégral était noir lui aussi et le verre fumé de la visière dissimulait son visage.

« Je suis un allié, dit une voix que les enfants ne connaissaient pas. Inutile de détourner le visage, monsieur Fureteux, je vous ai reconnu. Je sais pourquoi vous êtes ici et je sais aussi où sont partis ceux que vous recherchez... »

Les deux bandes ne purent s'empêcher de hurler de joie.

« Qui êtes-vous ? demanda Juan surexcité.

— Peu importe, répondit le motard avec une nuance d'amusement dans la voix.

— Vous travaillez pour les services de contre-espionnage? insista Juan.

— Nous n'avons pas de temps à perdre en bavardage inutile. Les deux enfants que vous cherchez sont dans une ferme de la région de Chartres dont voici l'adresse exacte : départementale 12, trois kilomètres après le hameau de la Hunaudière. Vous ne risquez pas de vous tromper, elle est très isolée.

— Pourquoi ne les avez-vous pas délivrés?» demanda une petite Taxi.

Le motard balaya la question d'un geste et continua ses explications :

«Deux kilomètres avant la Hunaudière vous verrez sur la gauche un vieux pigeonnier entouré de trois arbres. Je vous y attendrai. Il est une heure du matin. Rendez-vous à quatre heures. J'y serai avec le patron.»

Et, sans un mot de plus, le motard démarra. En quelques secondes la moto, dont les accélérations étaient fulgurantes, avait disparu dans la nuit.

«Quel mec! dit Juan.

— Un frimeur, oui!» s'exclama Anne.

Les Taxis et Antoine poussèrent un soupir de soulagement. Quentin céda le volant à l'Yltiogien qui n'était pas très rassuré par sa façon de conduire. Comme il restait trois heures pour couvrir cent kilomètres, il proposa de rouler doucement afin que ses passagers puissent dormir. Les enfants, rassurés mais épuisés, ne se firent pas prier. Quentin prit la plus petite des Taxis dans ses bras où elle s'endormit en suçant son pouce.

Rue du Chat-qui-Pêche la situation était fort tendue. Un haut fonctionnaire du ministère de l'Intérieur s'était déplacé pour calmer les parents.

«Ne vous inquiétez pas, tout sera fait pour retrouver vos enfants sains et saufs. Aussi bien ceux qui ont été kidnappés que ceux qui ont voulu retrouver leurs petits camarades. D'ailleurs je...»

Mais il fut interrompu par l'arrivée des Trois Etroits. Jojo Gomina prit la parole, les deux autres étant bien trop émus pour parler :

«Voilà, m'sieur, on est venus vous proposer une alliance historique. Nous allons vous aider à retrouver Ambrosiano Lamborini. Il faut faire l'unité de tous les Français contre la concurrence étrangère...»

Un bref silence suivit cette étonnante déclaration. Jojo le prit pour un acquiescement.

«Enrôlez-nous dans la police jusqu'à la

fin de cette enquête!» lança-t-il avec un sourire enjôleur.

Le commissaire Duguet fut le premier à réagir.

«Si vous cherchez du travail, présentez-vous dans un cirque», vociféra-t-il, furieux.

Le commissaire Duschmoll, plus diplomate, reconduisit les trois anciens gangsters jusque dans la rue avec de bonnes paroles. Le haut fonctionnaire, lui, poursuivait ses tentatives pour rassurer les parents. Au bout d'une demi-heure il quitta l'immeuble, après avoir beaucoup insisté sur l'importance du dispositif policier mis en place pour retrouver les enfants. Les parents, épuisés et à bout de nerfs, décidèrent d'essayer de dormir quelques heures. Au même moment, alors qu'une chouette hululait lugubrement dans un

arbre voisin, le téléphone sonna dans la
voiture de Gaspard Naicreu que Maurice
Garneman, toujours revêtu de sa combinai-
son de motard, avait rejoint. Il décrocha,
eut un haut-le-corps, puis passa la communication à son chef en soufflant :

« Le grand patron ! »

Gaspard Naicreu leva

les yeux
au ciel,
écrasa d'un geste
las un fin cigare
Davidoff dans le
cendrier et prit la communication.

« Vous avez jusqu'à l'aube pour intervenir, déclara le ministre. Une fois le Président de la République réveillé, je serai
obligé, vous entendez, obligé de lui en
parler. Et il donnera l'ordre d'intervenir
immédiatement. Si cette affaire devait mal
tourner, les conséquences en seraient cata-

strophiques. Non seulement pour moi, mais aussi pour le Premier ministre.

— Et qu'en pense monsieur le Premier ministre? demanda Gaspard Naicreu dont la bouche se plissa d'un sourire indéfinissable.

— Il a tendance à perdre patience, si vous voulez tout savoir! tonna le ministre exaspéré. Cette idée d'attendre est de vous. Alors, je vous préviens : s'il y a du vilain, je sauterai, mais pas avant de m'être occupé de vous. C'est clair, je suppose.

— Et si ça marche, comme j'en suis certain, j'espère que vous oublierez de parler de moi, dit Gaspard Naicreu. Je suis comme les rapaces nocturnes, je déteste la lumière des projecteurs...»

Et le chef des services de contre-espionnage raccrocha avec un hochement de tête blasé.

A quatre heures moins dix, la camionnette, toujours conduite par l'Yltiogien, vint se garer près du vieux pigeonnier à quelques mètres de la voiture de Gaspard Naicreu et de la moto du mystérieux motard. Les enfants dormaient comme des souches, mais les plus âgés se réveillèrent en sentant qu'on ne roulait plus.

«Regardez, le motard est dans la voiture!» dit Juan en se précipitant, suivi par ses amis.

«Qui êtes-vous exactement? reprit Juan en se penchant vers l'une des vitres ouvertes de la voiture et en dévisageant les deux hommes.

— Ça n'a guère d'importance. Nous n'avons pas le temps de faire des présentations détaillées, et d'ailleurs le lieu ne convient guère aux mondanités», répondit négligemment Gaspard Naicreu.

Quentin, qui avait pris du produit, ne tarda pas à rejoindre les deux bandes. Gaspard Naicreu, en apercevant le pourpoint bleu brodé d'une fleur de lys et le béret orné d'une splendide plume d'aigle, leva un sourcil étonné. Il se tourna vers celui qu'il prenait pour M. Fureteux et lui demanda avec une pointe d'amusement dans la voix :

«Est-ce un de vos collègues? Un professeur d'histoire qui se serait laissé envahir l'esprit par sa matière?

— Euh...», fit l'Yltiogien un peu pris au dépourvu.

Juan sauva la situation.

«Oh, monsieur Fureteux pourquoi ne pas dire qu'il s'agit de votre cousin Anatole? Il joue actuellement Quentin Durward, expliqua-t-il à Naicreu, et il n'a pas eu le temps de se changer quand nous sommes passés dans sa loge.» Gaspard Naicreu hocha la tête en souriant.

«Je vous propose une petite collaboration», déclara-t-il.

Les enfants, surpris, ne savaient pas quoi dire. Anne fut la première à se ressaisir :

«Quel genre de collaboration? Tout ce qui nous intéresse, c'est de retrouver nos deux amis.

— Je me suis laissé dire qu'il vous restait quelques gouttes de produit à rendre invisible», dit Gaspard Naicreu en dévisageant les deux bandes.

Les enfants eurent quelques petits rires embarrassés.

«Donc, poursuivit Gaspard Naicreu, je vous propose un petit marché. Vous apprendrez que dans la vie c'est très souvent donnant, donnant. Bref, vous utilisez votre truc pour aller voir ce qui se passe dans cette ferme. En contrepartie, j'oublie que vous êtes détenteurs de ce pro-

duit qui intéresse tant de gens...
D'accord?»

Il semblait difficile de refuser cette proposition. Gaspard Naicreu demanda à Maurice Garneman d'exposer la situation.

«C'est très simple. Nous savons depuis longtemps que cette ferme est utilisée par les Proniets à des fins inavouables. Nous attendions l'occasion favorable pour lancer un grand coup de filet et les neutraliser...

— Il ne faudrait tout de même pas oublier notre frère· et notre sœur, coupa un des Taxis.

— En effet. Leur présence ici nous a décidés à passer à l'action. Nous avons jusqu'à l'aube pour éviter un grand remue-ménage avec gendarmes en grand nombre, télévisions, etc. Nous sommes très attachés à une certaine discrétion. Voilà pourquoi vous pouvez nous être utiles. Nous comptons sur vous pour glaner le maximum de renseignements. Après quoi nous interviendrons et libérerons les deux prisonniers.

— D'accord, dit Antoine. Mais nous aimerions que le cousin de M. Fureteux vienne avec nous. Il est très fort et son aide sera précieuse.»

Antoine, en voyant la tête de Quentin, eut le plus grand mal à ne pas éclater de rire.

« Faites ce que vous voulez, dit Gaspard Naicreu. Rendez-vous dans une heure, moi je vais dormir un peu. »

Et le chef des services de contre-espionnage bascula son fauteuil puis ferma les yeux tandis que Maurice Garneman, presque aussi calme que son patron, bourrait sa pipe.

Les deux bandes, l'Yltiogien et Quentin remontèrent dans la camionnette. Chacun enfila un pull-over car la fraîcheur de la nuit se faisait d'autant plus sentir que la fatigue s'accumulait. On laissa les plus jeunes des Taxis dormir sous la surveillance de l'Yltiogien. Ceux qui participaient à l'expédition reprirent quelques gouttes de produit afin de ne pas redevenir malencontreusement visibles. La partie qui se jouait entrait dans sa phase décisive et les enfants étaient tendus. Ils quittèrent la camionnette accompagnés de Quentin, lui aussi de nouveau invisible.

Chapitre 8

Où les espions perdent leur calme, où les deux bandes ont peur, mais où Antoine et un Taxi savent faire preuve de sang-froid.

Le silence de la nuit et ces grands champs déserts sous la lune avaient quelque chose de glacé.

« Si on n'était pas invisibles, je crois que j'aurais peur », avoua Antoine.

Personne ne le contredit et Quentin plaisanta :

« Moi qui suis un vieux guerrier, je peux vous assurer que la peur n'empêche pas d'être brave. Il n'y a que les inconscients pour ne pas avoir peur. »

Le petit groupe coupait à travers champs après avoir constaté que les deux membres éminents du contre-espionnage français n'avaient pas bougé de leur voiture.

« Quel sang-froid ! souffla Juan admiratif.

— Ce n'est pas un métier pour nerveux », affirma Anne qui elle, en revanche, sentait ses nerfs tendus comme des cordes de violon.

La ferme apparut au milieu d'un bouquet d'arbres un quart d'heure plus tard. Les bâtiments étaient répartis en carré autour d'une cour centrale, sans aucune ouverture vers l'extérieur, et ressemblaient à une forteresse. Le silence de la nuit était à peine troublé par quelques lapins qui détalaient en entendant approcher des êtres qu'ils ne voyaient pas.

«Et s'il y a un chien? souffla l'un des Taxis avec inquiétude.

— Pas de problème, répondit Quentin. Notre ami yltiogien m'a prêté son paralyseur. Je l'ai réglé sur une demi-heure. De toute façon il faut que j'entre le premier pour ouvrir le portail. Vous êtes invisibles mais pas passe-murailles comme moi.»

Quelques minutes plus tard le portail s'entrouvrit et les Invisibles pénétrèrent dans la cour. On entendit un chien lancer un aboiement bref. Quentin intervint immédiatement et ce fut le silence. Le corps principal de logis était éclairé. Un bruit lointain, mais qui croissait de seconde en seconde, attira l'attention des enfants et du fantôme. Il s'agissait d'un bruit de moteur accompagné d'un floc-floc caractéristique.

«Un hélicoptère», murmura Juan.

A peu près au même moment la porte du corps de logis s'ouvrit.

M. Dupont sortit sur le perron, accompagné d'oncle Gustave, d'un inconnu qui paraissait son chef et d'un homme corpulent.

«Vivement que ça se termine... grogna M. Dupont.

— Ah oui alors! lança le gros d'une voix de stentor. Quelle idée de venir déposer ces enfants dans ma ferme! Vous me mouillez salement, ce coup-ci.

— Ecoutez, lança l'espion proniétique d'un ton sec, nous vous faisons gagner assez d'argent pour vous demander un petit service, non?

— C'est plus qu'un petit service, grommela le propriétaire de la ferme.

— Il y va de l'avenir radieux de notre grand pays et donc de la planète tout entière, lança avec emphase l'espion en chef. Car comme le phare illumine la nuit, la pensée de notre chef Naphtaline rayonne sur le monde.

— Rayonnement qui risque de me conduire en taule», pesta le fermier qui ajouta en se tournant vers M. Dupont qui souriait béatement : «Et vous aussi, bougre d'âne!»

Mais l'atterrissage de l'hélicoptère, qui se posa au milieu de la cour, mit fin à cette conversation.

Deux hommes en descendirent, suivis du pilote. Les Invisibles profitèrent de l'accueil des arrivants pour se faufiler à l'intérieur par la porte restée ouverte. Les deux nouveaux venus entrèrent à leur tour dans la grande salle de la ferme, portant chacun deux grosses valises. Le pilote suivit avec une caisse que M. Dupont aidait à porter et qui paraissait fort lourde.

Les Taxis auraient bien aimé voir leur frère et leur sœur. Quentin inspecta les lieux en traversant les murs et vint les rassurer.

«Ils sont dans une cave. Ils étaient très inquiets mais bien installés et pas maltraités. Je leur ai remonté le moral», souffla le fantôme à l'oreille des enfants.

Il aurait pu parler à voix haute car il y avait un tel brouhaha dans la pièce qu'on ne risquait pas de l'entendre.

Les deux nouveaux venus, un grand maigre aux cheveux blancs rejetés en arrière et un petit gros assez hirsute au long nez et aux petits yeux qui ressemblait à un porc-épic, avaient commencé à déballer leurs affaires.

Ils étalaient tout un attirail d'appareils

compliqués aux multiples cadrans et aux touches innombrables, et quelque chose qui devait être un ordinateur portatif.

«Qu'allez-vous faire? demanda M. Dupont qui commençait à en avoir assez d'entendre parler proniétique, langue qu'apparemment il ne comprenait pas.

— Tiens, vous commencez à vous poser des questions! s'exclama le propriétaire de la ferme. Il serait temps. Ils vont sonder le cerveau des deux gosses.

— Ah?» fit M. Dupont.

Les Invisibles écoutaient de toutes leurs oreilles.

«C'est tout l'effet que ça produit sur vous? reprit le fermier. Vous ne vous rendez donc pas compte que cette expérience peut tourner à la catastrophe?

— Ah! fit M. Dupont.

— Arrêtez de faire "ah",

bougre d'âne, ou je vous en colle une dans le maxillaire qui vous fera faire "ouille" pour changer.

Vous ne comprenez pas que la cervelle de ces gosses risque de ne jamais plus pouvoir fonctionner normalement!

— Quoi?» s'écria M. Dupont atterré.

Un frisson d'horreur glaça les enfants tandis que Quentin étouffait un formidable juron.

Celui qui paraissait le chef des espions intervint très violemment.

«Taisez-vous, vous ne savez pas ce que vous dites!

— Si, je sais ce que je dis, hurla le fermier. Je comprends le proniétique et j'ai entendu ce que disaient vos deux savants à la gomme. Ils n'ont pas tout l'appareillage nécessaire pour effectuer leurs expériences en toute sécurité. Ils font donc courir d'énormes dangers aux deux mômes.

— Je m'y oppose, glapit M. Dupont livide. J'ai des enfants moi aussi.»

Les Invisibles étaient verts de peur, mais ils étaient les seuls à pouvoir le constater.

«Corne de bouc, leur souffla Quentin, je les assomme s'ils tentent leur expérience.»

La discussion tournait à l'aigre, car même chez les Proniets l'unanimité n'était pas faite, loin de là. Celui qui ressemblait à un porc-épic intervint pour dire que toutes les garanties scientifiques n'étaient pas réunies. L'homme aux cheveux blancs le traita d'inquiet chronique et dangereux. Oncle Gustave se rongeait les ongles, l'air gêné. Quentin révéla qu'il venait de lancer à son chef en proniétique : « J'aime pas travailler sur des enfants innocents. »

Le chef en question, plus obstiné qu'une mule, hurla à l'adresse des deux Français : « Vous ne voudriez quand même pas voir s'éteindre le grand phare qui éclaire le monde...

— Ce n'est pas en détruisant le cerveau de ces enfants que votre phare brillera davantage.

— Un phare ne peut pas être profitable et nuisible en même temps! lança M. Dupont.

— Vous vous laissez influencer par des considérations mineures, grommela le chef des espions. Vous perdez de vue l'objectif

106

principal.» Mais, se sentant en minorité, il ajouta : «Nous allons différer l'intervention. Je vais prendre contact avec mes chefs.»

Et il quitta la pièce où s'abattit un morne silence.

Les enfants sentirent la main invisible de Quentin les entraîner dans une autre pièce dont la porte était restée ouverte. Le fantôme claqua la porte, comme s'il s'était agi d'un courant d'air, afin de pouvoir faire en paix le point de la situation.

Les visages des enfants étaient tendus et creusés.

«Bon, dit Quentin, nous avons un petit moment de répit. Je vais informer nos amis dans la voiture, ainsi que l'Yltiogien. Il faut prendre toutes les garanties de sécurité.»

Les Invisibles approuvèrent chaudement et acceptèrent de laisser partir Quentin. En tant que fantôme, il se déplaçait à très grande vitesse et la voiture était loin.

«Pendant mon absence, faites très attention. Je vous laisse le paralyseur, mais surtout ne vous en servez que si vous êtes en danger ou s'ils décident de commencer leurs expériences sur les deux Taxis.»

Plusieurs mains se tendirent pour prendre l'appareil. Ne voulant blesser personne, Quentin tira rapidement au sort et Antoine fut désigné.

Quentin s'en alla sans que rien ne marque son absence, hormis le silence.

Les Invisibles se sentirent bien seuls tout à coup.

«Comment allons-nous repasser à côté? demanda Juan. On ne peut pas ouvrir la porte comme ça.

— Heureusement elle est vitrée jusqu'à moitié de sa hauteur, fit remarquer un Taxi. Nous allons attendre que personne ne regarde dans sa direction, puis nous l'entrouvrirons. Ensuite nous recommencerons le coup du courant d'air en sens inverse.»

Tout le monde se rangea à cette proposition. Les minutes qui allaient suivre étaient

trop capitales pour attendre que quelqu'un ouvre cette porte par hasard.

Le Taxi se chargea de l'opération.

Lorsque la porte alla battre contre le mur, oncle Gustave leva la tête et grommela quelques mots en proniétique.

«Que dit-il? demanda M. Dupont.

— Il dit que ces courants d'air sont bien étranges, répondit le fermier. Et il parle d'Invisibles.

— Si c'est les Invisibles auxquels je pense, nous sommes cuits, soupira M. Dupont.

— Je crains que de toute façon nous ne soyons cuits», marmonna le fermier.

Au même moment, le chef des espions entra dans la pièce. Il ouvrit la bouche et se tut, les yeux écarquillés.

Les Invisibles, en le voyant regarder dans leur direction, se sentirent mal à l'aise. Il ne pouvait tout de même pas les voir...

Mais, tout à coup, tous les hommes présents dans la pièce parurent les dévisager à leur tour. Une horrible pensée traversa la tête des enfants. Ils n'étaient tout de même pas redevenus visibles!

Tous sortirent leur miroir de poche. Antoine et un Taxi constatèrent avec horreur que leur image se reflétait. Ils avaient dû se tromper dans le dosage des gouttes.

109

Les espions se ruèrent sur les deux malheureux et personne ne put rien faire car le paralyseur était dans la poche d'Antoine qui n'eut pas le temps de l'en extraire.

Heureusement les espions, perturbés par cette apparition d'Invisibles, ne pensèrent même pas à fouiller les garçons. Ils répondirent tous les deux avec une étonnante présence d'esprit aux questions qui leur furent posées.

«Oui, nous sommes plusieurs à vous avoir suivis! déclara Antoine. Nous sommes venus dans la voiture du grand frère d'un copain.

— Et la police? demanda le chef des espions.

— On ne l'a pas prévenue, répondit le Taxi. Nous, on règle nos comptes nous-mêmes.

— Y-a-t-il d'autre Invisibles dans le coin? demanda un des espions.

— Non. Pour que vous ne remarquiez pas la voiture, le frère de notre copain est reparti et reviendra nous chercher dans une heure.

— S'il ne nous voit pas, il préviendra la police. Et si vous le capturez lui aussi, ce sont nos frères et sœurs et nos copains à qui on doit téléphoner toutes les trois heures, qui préviendront la police. Ils savent où nous sommes.»

Les Taxis ou les Abribus restés invisibles étaient ahuris par le sang-froid des deux nouveaux prisonniers.

«Comment croire ces gosses? soupira le fermier.

— Nous ne pouvons que les croire. De toute façon, ça n'a pas tellement d'importance. Dans une heure nous serons loin! lança le chef des espions. Allez chercher les deux autres surdoués. J'ai pu obtenir de mes chefs des ordres précis qui, par chance, conviennent très bien à la nouvelle situation.

— Qu'allons-nous faire? demanda M. Dupont dont les mains tremblaient.

— Gagner la République proniétique, répondit le chef des espions.

— Tous?

— Tous!»

Une douche glacée parut s'abattre sur les épaules des Invisibles.

Et Quentin qui ne revenait toujours pas...

Chapitre 9

*Où les espions jouent
leurs dernières cartes et
où les deux bandes ont
un nouveau sujet
d'inquiétude.*

Les espions quittèrent tous la pièce en entraînant Antoine et le Taxi. M. Dupont, le fermier et le pilote les suivirent.

«S'ils les emmènent en hélicoptère, même les deux as du contre-espionnage ne pourront plus rien pour les retrouver, dit un Taxi.

— S'ils sortent de la maison avant le retour de Quentin, on interviendra pour essayer de délivrer les prisonniers, déclara Anne avec détermination. Etre invisibles ne nous empêchera pas de prendre des coups, mais cela nous donnera tout de même un avantage.»

La perspective d'une bagarre générale n'enthousiasmait personne. D'ailleurs les enfants se rendaient bien compte qu'ils n'avaient guère de chance de l'emporter. Au lieu de délivrer les prisonniers, ne risquaient-ils pas au contraire de se faire tous prendre?

Tout à coup l'Yltiogien apparut derrière une vitre. «Notre ami extra-terrestre a pris du produit. Il vient nous prêter main-forte», souffla Quentin.

Jamais peut-être les enfants n'avaient été aussi contents d'entendre la voix de Quentin. Ils reprirent espoir.

Anne, après avoir ouvert la fenêtre, fit rapidement le point de la situation pour l'Yltiogien et le fantôme.

«Vous devriez saboter l'hélicoptère, suggéra l'aîné des Taxis à l'extra-terrestre. S'ils partent en voiture ou en camion, ce ne sera pas trop grave. En hélicoptère, ce serait une catastrophe.

— Excellente idée!» approuva l'Yltiogien.

Le fantôme, lui, décida d'aller prévenir les deux membres du contre-espionnage du départ imminent des espions avec leurs quatre prisonniers.

Bientôt on entendit un grand remue-ménage. Les espions, M. Dupont, le fermier, le pilote et les quatre prisonniers firent irruption dans la grande pièce. Les hommes transportaient du matériel et des dossiers.

« On vide complètement les lieux, déclara le chef des espions. Je pars avec les quatre enfants en hélicoptère. Vous autres, chargez le matériel dans le camion et ne vous attardez pas. »

Le pilote se dirigea vers l'hélicoptère pour le mettre en marche. Il revint peu après en déclarant que le rotor était en panne.

« Sabotage ! s'exclama le chef des espions. Ces maudits enfants ne sont pas des surdoués pour rien ! On part immédiatement en camion.

— Je ne pars pas, dit le fermier.

— Nous ne laissons jamais de témoins », lança le chef des espions d'une voix glacée.

Et il sortit un revolver de sa poche.

Les Invisibles profitèrent de la confusion pour bondir hors de la maison. Ils prirent grand soin de se mettre à l'écart de l'éventuelle trajectoire des balles.

Mais le fermier n'était pas suicidaire. Aussi alla-t-il s'installer à côté de M. Dupont dans le camion.

Anne parvint à s'approcher des quatre prisonniers. Elle les rassura de quelques mots qu'elle leur chuchota à l'oreille.

Antoine et les trois Taxis furent ficelés, bâillonnés et déposés dans une sorte de soute secrète dissimulée sous le plancher du camion.

Dès que tout le monde eut pris place à bord, le véhicule démarra et quitta la cour de la ferme. Quentin revenait à ce moment précis. Juan, qui n'avait plus à craindre d'être entendu, lui cria :

« Le camion est parti !

— Ne t'inquiète pas, répondit Quentin. La gendarmerie est prévenue et elle va le fouiller en compagnie de nos deux amis du contre-espionnage. »

De fait, le camion n'eut même pas le temps de gagner la route nationale. Une voiture de la gendarmerie lui bloqua le passage à proximité du portail de la ferme.

Les Invisibles coururent sur les lieux.

« Pourquoi n'y a-t-il pas plus de gendarmes ? demanda un Taxi.

— Tu te rappelles, ils ont dit qu'ils voulaient que cette affaire s'ébruite le moins possible », répondit Anne.

Les espions laissèrent fouiller le camion non sans avoir affirmé qu'ils se plaindraient à leur ambassade.

Gaspard Naicreu écouta leurs récriminations en souriant. Il fumait un petit cigare et paraissait parfaitement calme.

Mais les gendarmes ne trouvaient toujours pas trace des quatre prisonniers. La soute où ils étaient enfermés était si bien dissimulée qu'elle échappait à leur examen pourtant très attentif. L'un des gendarmes vint d'ailleurs parler à l'oreille de Gaspard Naicreu qui, du coup, cessa de sourire. Les espions proniétiques, au contraire, après un moment d'inquiétude, reprenaient confiance.

C'est alors que Quentin décida d'intervenir. Il franchit les parois du camion et libéra les enfants de leurs bâillons et de leurs liens. On entendit bientôt taper des poings et des pieds contre les tôles ainsi que des vociférations, étouffées mais distinctes.

Les espions verdirent.

«Pas de bêtises, messieurs, lança Gaspard Naicreu qui avait retrouvé son sourire. Je vous conseille d'ouvrir le double fond de votre camion et de libérer ces enfants.

— Mais...

— Vous n'êtes pas en situation de pouvoir discuter, expliqua Gaspard Naicreu. Vous n'avez pas le choix.»

Le chef des espions renonça à toute résistance et fit coulisser une paroi. Quatre enfants surexcités jaillirent alors.

Maurice Garneman sortit de sa poche un appareil muni d'un flash et photographia avec soin tous les hommes ayant de près ou de loin participé à cet enlèvement, tandis que les Invisibles allaient embrasser les quatre rescapés.

«Voilà, ironisa Gaspard Naicreu. Ce sera tout. Nous gardons avec nous les deux Français, ajouta-t-il en les désignant aux gendarmes d'un signe de tête. Quant à vous, messieurs, conclut-il en s'adressant aux espions, je vous conseille de faire vos bagages. Je suppose que vous serez bientôt amenés à déménager.»

Les Proniets grimpèrent dans leur camion et démarrèrent en faisant rugir le moteur. La voiture de gendarmerie, ayant à son bord le fermier et M. Dupont, ne tarda pas à partir également.

Gaspard Naicreu et Maurice Garneman ne s'étonnèrent pas de voir bientôt réapparaître tous les enfants au grand complet ainsi que celui qu'ils prenaient pour M. Fureteux.

«Et votre cousin?» demanda Gaspard Naicreu en allumant un autre cigare.

Quentin avala quelques gouttes de produit et retrouva sur-le-champ son quintal de muscles et son uniforme de la garde écossaise de Louis XI.

« Ah, c'est vrai, j'avais oublié ce curieux costume, monsieur...

— Durward, compléta fièrement Quentin.

— Que voulez-vous, dit Anne devant l'air surpris du chef du contre-espionnage, les comédiens finissent parfois par se prendre pour les personnages qu'ils incarnent. Le cousin de M. Fureteux s'appelle en fait Guillaume de la Marck. »

Quentin jeta à Anne un regard noir. Comment osait-elle l'affubler du nom d'un des pires ennemis de feu son roi ?

C'est alors que des cris divers jaillirent de la camionnette que Maurice Garneman avait rapprochée de la ferme.

Les plus jeunes des Taxis venaient de se réveiller. Ils firent la fête à leur frère et à leur sœur. Puis on décida de rentrer rue du Chat-qui-Pêche.

« Attendez une seconde, dit Antoine en s'adressant à Gaspard Naicreu, il y a encore une petite chose à régler. Nous risquons d'êtres accueillis fraîchement par nos parents en rentrant chez nous. Si on leur dit qu'on poursuivait des espions pro-niétiques, ils ne nous croiront pas. Il faudrait que le commissaire Duschmoll vienne nous attendre devant l'immeuble, qu'il explique qu'il s'agissait d'une affaire

sérieuse, que nous avons fait du bon bou-
lot, qu'on ne pouvait pas agir autrement et
qu'il ne faut pas nous attraper.

— C'est très facile, affirma Gaspard Naicreu. Je contacte immédiatement le commissaire Duschmoll.

— Qu'il dise à nos parents que s'ils nous
punissent ils auront de gros ennuis avec la
police, dit un petit Taxi à moitié endormi.

— Et même qu'ils iront en prison s'ils ne
sont pas gentils avec nous! ajouta la plus
petite des Taxis.

— D'accord!» dit Gaspard Naicreu en
riant.

Le commissaire Duschmoll attendait les
enfants devant la porte de l'immeuble.

«On m'a téléphoné, expliqua-t-il. Ne
vous inquiétez pas, je vais tout arranger.»

Quelques secondes plus tard, les enfants
retrouvaient leurs parents devant la loge
des concierges. Pendant un bon moment
les embrassades et la joie des retrouvailles
l'emportèrent. Puis M. Charin se racla la
gorge et, d'un geste, demanda le silence :

«Tout est bien qui finit bien. Vous êtes
là, sains et saufs, et c'est l'essentiel. Cela
dit, votre disparition collective, sans
demander la moindre autorisation, est
injustifiable. Nous ne pouvons pas fermer
les yeux devant une telle conduite. Il

me paraît donc nécessaire de prendre une décision qui vous paraîtra peut-être sévère mais qui n'est que juste...

— Excusez-moi de vous interrompre, coupa le commissaire Duschmoll, que tous les enfants regardaient avec de plus en plus d'insistance. Vous n'avez pas tous les éléments pour juger de la conduite de vos enfants en toute impartialité. Je ne peux malheureusement rien vous dire. Ils ont été mêlés à une affaire qui touche à des secrets d'Etat. En mon nom et au nom du gouvernement, je vous demande de ne pas les punir. Non seulement ils n'ont pas fait de bêtises, mais ils nous ont rendu un immense service.»

Cette déclaration du commissaire Duschmoll provoqua le soulagement des deux bandes et la stupéfaction des parents. M. Charin lui-même, qui d'ordinaire n'avait pourtant pas sa langue dans sa poche, ne trouva rien à dire.

«Bon, finit par déclarer le taxidermiste en riant, je m'apprêtais à vous empailler, mais puisque c'est comme ça on oublie tout et on n'en parle plus. J'espère simplement que désormais vous ne vous prendrez pas pour James Bond!»

Et, épuisés par cette nuit de veille, les parents et les enfants allèrent se coucher.

Quand M. Fureteux rentra de vacances le teint rose, l'œil vif et la mine réjouie, les deux bandes lui firent la fête et lui demandèrent la raison de sa grande forme.

«Eh bien, expliqua l'Yltiogienne qui avait toujours l'apparence radieuse d'Estelle Glamour, j'ai promis à Léonard de revenir un mois par an. C'est un

homme si facétieux, si gentil et si merveil-
leusement tête en l'air... Je l'adore», ajouta-
t-elle en l'embrassant sur la tempe.

M. Fureteux vira au rouge pivoine tandis
que les deux bandes applaudissaient à tout
rompre.

L'Yltiogien et l'Yltiogienne prirent
congé de leurs amis et repartirent vers leur
lointaine planète.

«Corne de bouc, je m'habitue à ces extra-
terrestres! s'exclama Quentin. Je ne sais
pas comment je vais faire pour me passer d'eux.»

Et pour se remettre de ses émotions,
le fantôme vida coup sur coup plusieurs
grands verres de whisky.

Une semaine plus tard les médias annon-
çaient ce fait sans précédent :

«Sur ordre du Président de la République, 112 diplomates proniétiques ont
été priés de regagner leur pays dans les
plus brefs délais.»

Circonstance encore plus étonnante que
le nombre élevé des expulsés, le gouvernement proniétique ne protesta que très mollement.

M. Dupont et le fermier furent jugés et
condamnés pour espionnage, mais jamais
au cours de leur procès il ne fut question
d'un quelconque rapt d'enfants.

Table

TAPEZ

36.14 HJ

H HACHETTE *Jeunesse*

SUR MINITEL

Retrouvez tout le catalogue
Hachette Jeunesse
Résumés, recherche par auteur,
par titre, par thème,
par niveau scolaire.
Fiches pédagogiques.
Les Nouveautés
Dialogue avec l'éditeur

IMPRIMÉ EN FRANCE PAR BRODARD ET TAUPIN
Usine de la Flèche, 72200.
Loi n° 49-956 du 16 juillet 1949 sur les publications destinées à la jeunesse.
Dépôt : février 1990.